ELA R. GÓMEZ-QUINTERO

LITERATURA DE DOS MUNDOS:

ESPAÑA E HISPANOAMÉRICA

··EDICIONES UNIVERSAL

EDICIONES UNIVERSAL
P.O. Box 450353 (Shenandoah Station)
Miami, FL, 33245-0353. USA
Tel: (305)642-3234   Fax: (305)642-7978

Library of Congress Catalog Card No.: 93-71414

I.S.B.N.: 0-89729-687-7

ÍNDICE

ESPAÑA:

HISPANOAMÉRICA

A la memoria de mis padres.

España

La Trotaconventos Urraca y "El libro de buen amor"

Pese a que Juan Ruiz, Arcipreste de Hita ha sido calificado, por una de las plumas literarias más autorizadas de las letras españolas, como "clérigo libertino y tabernario", nosotros nos acercaremos a las páginas del *Libro de Buen Amor*, con la religiosidad que nos producen los monumentos del medioevo español, para analizar uno de los personajes mejor esbozados de la época, Trotaconventos, abuela por línea materna, de la inmortal creación de Fernando Rojas, Celestina.

Pero, antes de adentrarnos en el análisis del personaje de Trotaconventos creemos oportuno, a modo de satisfacción personal, dedicar unos breves comentarios generales sobre algunos aspectos interesantes y debatidos del *Libro de Buen Amor* y de su autor el Arcipreste de Hita.

El *Libro de Buen Amor*, es un largo poema que consta de setecientas veinte y ocho estrofas. Se conserva en tres códices del siglo XIV; uno propiedad de la Real Academia Española, el *de Gayoso* (hoy en la Biblioteca Nacional de Madrid); otro el llamado *de Toledo* (también en la Biblioteca Nacional de Madrid); y, el tercero llamado *de Salamanca* (hoy en la Biblioteca Universitaria de Salamanca).

El *LBA* escrito en forma juglaresca contiene treinta y dos fábulas o cuentos. Es una especie de sicología de la época, de la cual poco conocemos, pero mucho percibimos a través de sus brillantes y "realistas" páginas. Presenta perspectivas enormes, siempre cambiantes, pero siempre actuales y desconcertantes, en una palabra, manifiesta los cambios y las alternativas del ser humano.

Esta obra ha sido extensa y extraordinariamente comentada e investigada y sobre la misma se emiten las más dispares opiniones. Uno de los puntos más controvertidos es el de la estructura del libro, para unos sigue las normas de la autobiografía y para otros es obra de ficción. El *LBA* es autobiográfico literariamente y según Zahareas "fue hallazgo de Juan Ruiz el autobiografismo".

Según Manuel Criado de Val el libro es una "autobiografía estilística".[1] Pero, las opiniones de los investigadores y estudiosos del libro, hasta hoy día, son muy variadas y disímiles al tratar de separar lo puramente biográfico de lo inventado por el Arcipreste. Lo más interesante de este monumento literario es el lenguaje, que unas veces desorienta por su abundancia y por la mezcla de lo culto y lo popular o hablado, aun cuando predomina este último, al recoger todo el sentir popular, al darnos el eco de toda una época, el discurrir de la vida de un pueblo.

Otro aspecto de destacar en este documento del lenguaje oral es la métrica, pues es una constante lección de lo que es y será, en esta materia, el siglo XV. Hita está orgulloso de su habilidad natural y espontánea de versificar y a tal respecto expresa en el prólogo del *LBA* que uno de los fines del libro es "dar lección e muestra de metrificar e rimar e de trobar".[2]

El Arcipreste usa como formas métricas el zéjel, las serranas, los villancicos, las serranillas, las trovas cazurras, de ciegos, de escolares, etc. las cántigas o loores a la Virgen, aunque la métrica dominante de todo el libro es la cuaderna vía. Su cuaderna vía es más flexible que la empleada por el primer poeta del mester de clerecía, Berceo. Además, Juan Ruiz emplea la sinalefa, como cualquier poeta posterior, lo que no hacía Berceo.

El libro es además una especie de novela picaresca, con su apólogo y epílogo; es alegórico y burlesco; es elegíaco y satírico; es poético-religioso y lírico-profano. No se ajusta a la técnica cerrada del greco-latino, sino a la abierta del árabe.

El estilo es abundante, expresivo, realmente fecundo aunque hay momentos en que Juan Ruiz maneja muy bien la concisión y el paréntesis. Pudiéramos decir que es subjetivo, pues va del escritor al lector, y en ello estriba la dificultad de entrar en él, ya que el autor ve los problemas e inquietudes de la época desde su mundo personal y así lo vemos proyectarse en su obra, con una manera especial de tratar los temas serios dentro de una especie de alegría, gracia y burla, pues sabe que si los tratara de forma filosófica nadie los leería.

---

[1] *Teoría de Castilla la Nueva. La dualidad castellana en los pueblos orígenes del español,* Madrid, 1960, pág. 269.

[2] *Libro de Buen Amor,* ed. Joan Corominas, "Biblioteca Románica Hispánica", Gredos, Madrid, 1967, pág. 3

En resumen, el *Libro de buen amor* puede ser visto desde tres puntos: el narrativo, el moral y el lírico.

En el aspecto narrativo, lo más importante no es el enlace de historias a través de un narrador o protagonista, sino que estriba en aquello que choca al lector moderno y es que el autor se expresa de forma casi simultánea como un juglar que quiere divertir a su público, entrelazando ambos planos de forma tal que a una mentalidad occidental le choca. Para Américo Castro, ésta es la actitud normal del autor árabe medieval, ir de lo sublime a lo más grosero; y esta actitud se baraja constantemente a lo largo de todo el libro. Por ello, el ritmo de la narración es muy variado, ya que unas veces progresa rápidamente; en otras se detiene; y, en otras progresa lentamente, luego el autor cambia de tema y humor de manera espontánea; y de ahí, el choque que produce a la sensibilidad moderna.

Atendiendo a lo moral diremos que, para nosotros, el autor fue un moralista serio y severo, que quiere darle sal y pimienta a sus lecciones moralizadoras, para que el público las acepte. Moraliza, porque todo el arte medieval es una ilustración que tiende a elevar las cuestiones del espíritu.

Líricamente, es abundante en formas métricas tales como los loores que florecen en el siglo XV; de ascendencia provenzal, como "las endechas" por la muerte de Doña Garroza; vulgares, como las "trovas cazurras", las cántigas de ciegos y escolares"; formas métricas que continúan y perpetúan una tradición en la literatura española, y que, por su sensibilidad artística, le hacen de modernidad eterna.

De Juan Ruiz, podemos decir muy poco, pues los datos que tenemos de su vida son bastante inciertos. Se cree que fue eclesiástico y que llegó a ser Arcipreste de Hita. Que nació en Alcalá de Henares y que estuvo preso en Toledo.

Lo que sí sabemos de seguro es su tiempo y su tierra, por lo que podemos decir que es uno de los autores más representativo de su época y de su región la Castilla la Nueva del siglo XIV.

Como escritor es de personalidad fuerte e imprime su sello personal a todo lo que escribe, es el *único* en la Edad Media que tiene afición al popularismo, se sitúa cerca del pueblo, es decir, de aquellos que le van a decir algo. Trae renovación del lenguaje y aumento del vocabulario. Es el primero que deja constancia, por escrito, de la lengua no literaria.

Se manifiesta como hombre de su tiempo al desarrollar las corrientes de su época; y es el autor que nos presenta, por primera vez en la literatura medieval, tipos sociales en los que se refleja la heterogeneidad de la sociedad de entonces.

Lo único que no se le puede negar a Juan Ruiz es ni su personalidad, ni su cultura eclesiástica, lírica y poética, ni que su libro sea, quizás, una de las obras más difíciles de la literatura medieval; y, quizás también una de las obras maestras de la literatura española por su originalidad, al caracterizar al personaje por medio del lenguaje, lo cual no se había hecho hasta entonces.

Para comprender esta obra y su autor hay que comprender, primero, el carácter teológico-medieval, según el cual, la religión es para elevar al hombre de la postración humana; ya que la naturaleza humana es de por sí, algo caído y Juan Ruiz conoce hasta qué punto puede ésta descender.

La didáctica del amor en la forma entretenida en que nos la expone el de Hita, es una excepción al conjunto literario de la Edad Media.

Con Juan Ruiz, asistimos en las letras castellanas a "el disfrute de la personalidad" de que nos habló Burckhardt.

Por último, diremos que el autor se proyecta en su obra como hombre de experiencias en el amor mundano; como narrador que discute estas experiencias y luego aparece como comentarista de las mismas.

El que de manera tan real, humana y agresiva y sin eufemismos narra lo que ve, no podía ser un simple imitador de artificiosas pastorales ni subordinarse estrictamente a los formulismos estrechos de una escuela culta.

Una vez esbozado a grandes rasgos el *Libro de Buen Amor,* su autor y la época en que se produce esta obra, nos adentraremos en el personaje objeto de nuestro estudio.

De entre las figuras o personajes del *LBA*, sobresale la de la celebérrima alcahueta Trotaconventos, cuyos enredos al servicio de sus clientes, trazan una historia que puede considerarse como antecedente de la novelística picaresca. Dicho personaje, es presentado con magistral sagacidad y agudo talento artístico y satírico.

El tipo de la vieja con ribetes de hechicera, que tiene por misión componer las voluntades de los que se quieren, es de antiquísima vida en la literatura de todos los pueblos.

11

Ya desde el "Hitopadeza" nos encontramos esta mensajera del amor en la persona de Karaba, quien también es algo bruja.

También el poeta latino Ovidio, en sus poemas y elegías, nos habla de la medianera y en "Dipsas de Amorum", nos ofrece todas las características clásicas de esta vieja con artes mágicas, que se lamenta de su pobreza ante los galanes en provecho de sus tercerías, y que, además emplea un lenguaje meloso e insinuante. Con alguna de estas características, nos dará más tarde el autor de *"Pamphilus de Amore"*, la Anus de su comedia, personaje que antes de figurar en el *Libro de Buen Amor,* veremos en "Roman de la Rose".

La "medianera" tiene más de un antecedente en la literatura castellana. *En el Libro de Alexandre,* se nos habla de la labor realizada por la tercera representada por la diosa del amor, quien en agradecimiento a la merced que recibiera de Paris, le protege en sus amores con la esposa de Menelao. En este libro vemos en Venus ciertos rasgos de la medianera, incipientes, pero muy interesantes.

En el "Libro de los Engaños", también encontramos dos viejas medianeras; la "del enxiemplo del omme é de la muger é de la vieja é de la perrilla", quien valiéndose de sus artes y mañas, intercede entre una mujer casada y su amante; y la otra, que aparece con el nombre de "alcahueta" en el "enxiemplo de la muger é del alcahueta del omme é del mercader é de la mujer que vendió el paño", y trata que la seducida vaya a su casa, al igual que la Anus de la comedia ovidiana y la Trotaconventos del *Libro de Buen Amor.*

Por último, en el *Libro de los Enxiemplos* también se insertan dos cuentos sobre la tercera o alcahueta, uno de ellos corresponde al "Del enxiemplo del omme é la muger é de la vieja é de la perrilla", que hemos citado al referirnos al *Libro de los Engaños;* y, el otro, al de una vieja lavandera escogida por el diablo para convertir a un honrado matrimonio en un infierno. Al propio tiempo, este cuento es el que se cita en el enxiemplo XLII del *Conde de Lucanor* bajo el título de "Como un buen omme é su muger fueron vueltos por dichos de una falsa vieja".

Todas estas intermediarias del amor, son personajes de segunda y tercera categorías o componentes dispersos de un carácter que concretará, junto a toques de poesía, su verdadera personalidad en Juan Ruiz y que alcanzará todo su vigor en

Fernando de Rojas; con lo cual el realismo castellano, ha logrado uno de sus triunfos en ese tema común de la Edad Media europea.

En cuanto al origen del nombre del personaje creado por el Arcipreste, en el poema de Fernán González se habla de "troteros", palabra antigua, de cepa castellana, que significa "persona a quien se encomendaba algún mensaje", y, el de Hita se vale de este vocablo para bautizar a la vieja de su episodio, cuya sicología acentúa y de "trota" la convierte en Trotaconventos, es decir, en algo religioso, le da aspecto moralizante; y, como conocedor de las costumbres de la época, la introduce dentro de las reformas religiosas.

El nombre de Trotaconventos, no fue de la invención de Juan Ruiz, pues era usado por el pueblo para referirse a las mandaderas o recaderas de los monasterios, iglesias y casas particulares; y, el propio Arcipreste declara que ese nombre es genérico que indica tipo; y no nombre propio que supone individualidad:

> Toma de unas viejas, que se fasen erveras,
> Andan de casa en casa é llamanse parteras;
> Con polvos é afeytes é con alcoholeras,
> Echan la moca en ojo é ciegan bien de veras.[3]

> É busca mesajera de unas negras pegatas,
> Que usan muncho los frayres, las monjas é beatas:
> Son mucho andariegas é merescen las capatas:
> Esta trotaconventos fasen muchas baratas.[4]

El Arcipreste de Talavera, también se refiere a "trotaconventos" en su obra *Reprobación del Amor Mundano*, Parte Segunda, Capítulo I y, aunque el texto es posterior al *Libro de Buen Amor*, no parece que él quiera hacer referencia a Doña Garoza, sino que utiliza un nombre muy conocido en la época:

La literatura española nos da personajes literarios en figuras que viven: Trotaconventos, Celestina, Don Quijote, Don Juan.

---

[3] Arcipreste de Hita. *Libro de Buen Amor.* Tomos I y II. Edición y notas de Julio Cejador y Frauca. Clásicos Castellanos. Vols. 14 y 17. Espasa-Calpe, S.A. Madrid, 1963. Estrofa No. 440

[4] *Ob. cit.* Estrofa 441

En el caso del personaje que nos ocupa, Trotaconventos, habría sido el sinónimo de la alcahueta en la literatura española, de no haber sido eclipsada por Celestina.

El origen árabe de la alcahueta, *alqawad*, y sus conexos alcahuete, alcabote, alcayuete; en catalán, arcabot; en gallego, alcayote; en provenzal, alcaot; se utilizó para denominar al que llevaba un caballo de regalo, de parte de su amo, como mejor medio de granjearse las simpatías del marido para así poder llegar a su mujer.

Así pues, no es sólo en la tradición latina donde encontramos el origen de la Trotaconventos, sino que también éste lo podemos apreciar en la árabe y más aún, en la vida española permeada de aquellas influencias.

En varios textos legales se hablaba y se condenaba, en algunos casos, hasta con pena de muerte a quien "alcobatasse a otra mujer casada, o virgen o religiosa".(Partida VII, Título XXII, Leg.2)

En el siglo XVII, la literatura abordará el tema de la alcahueta de modo ironizante y será visto en dimensión social. Para Cervantes, el oficio de alcahuete, debía ser ejercido por "gente muy bien nacida, y aun debía haber veedor y examinador de los tales".

Luego, la ironía cervantina es posible ya que, en este siglo, hay una más aguda conciencia social de la función de "la alcahuetería" en todos los aspectos de la vida ciudadana.

Más tarde, Lope de Vega nos dirá en "El amigo hasta la muerte:"

Cierto día que había de haber
con salario y mucho honor,
sus corredores de amor
para llevar y traer.

Tirso llamará a la alcahueta "Mercurio", y Calderón, al referirse a este personaje en su comedia *Celos aun del aire matan*, dirá "agente de negocios de Cupido." El personaje de la alcahueta es propio de la comedia latina y de la literatura árabe, refiriéndose a algo conocido del lector oyente, es decir, a la morisca que iba por las calles pregonando sus mercaderías para poder entrar en las casas a entregar mensaje de amor. Este personaje lo vemos en "El collar de la Paloma" de Ibn Hazm.

14

El Arcipreste, seguro que conocía este tratamiento literario del Oriente, y, por ello lo concibe con estilo oriental:

Era vieja buhona, de las que venden joyas:
Estas echan el laço, estas cavan las foyas;
Non ay tales maestras, como esta viejas Troyas:
Estas dan la maçada: sy as orejas, oyas.[5]

Y, es él, el que le da feliz solución, en lengua moderna, pues el gran poeta no sólo mantendrá las esencias ovidianas, sino que dará al personaje del poema latino el vigor extraordinario de la literatura arábigo-española.

El Arcipreste sigue a saltos la comedia latina, pero encarna en figura humana cálida y roja, las vaguedades y los símbolos, y así nos ofrece, como características de su personaje, las siguientes:

1.- Arte mágico para domeñar la voluntad de las mujeres y hacer que éstas se entreguen al hombre que les paga su corretaje:

Syempre fué mi costumbre é los mis pensamientos
Levantar yo de mío é mover cassamientos,
Fablar como en juego tales somovimientos,
Fasta que yo entienda é vea los talentos.[6]

2.- Habladora y cuentista:

Dixo la dueña cuerda á la mi mensajera:
Yo veyo muchas otras creer a ti, parlera,
E fállanse mal ende: castigo en su manera,
Bien como la rrapossa en agena mollera.[7]

---

[5] *Ibid.* Estrofa 699
[6] *Ibid.* Estrofa 735.
[7] *Ibid.* Estrofa 81.

3.- Beata, trotera de conventos y sacristías:

> Si parienta non tienes atal, toma d' unas viejas,
> Que andan las iglesias é saben saben las callejas,
> Con lágrimas de Moysén escantan las orejas.[8]

4.- Vieja — de éstas que venden joyas —:

> D' aquestas viejas todas ésta es la mejor;
> Rruegal' que te non mienta, muéstrale buen amor:
> Que muncha mala bestia vende buen corredo
> E muncha mala rropa cubre buen cobertor.[9]

5.- Usa disfraz para encubrir sus comisiones de tercerías:

> Como lo an de uso estas tales buhonas,
> Amda de casa en casa vendiendo muchas donas:
> Non se rreguardan dellas: están con las personas,
> Efazen con mucho viento andar las atahonas.[10]

6.- Guardadora de secretos:

> Es maldat é falsía las mugeres engañar,
> Grand pecado é desonrra en las asi dañar:
> Verguença que fagades yo la he de callar;
> Mas los fechos é la fama, esto me faz' dubdar.[11]

7.- Zurcidora de engaños:

> Fallé una tal vieja, qual avía mester,
> Artera é maestra é de mucho saber:
> Doña Venus por Pánfilo non pudo más facer
> De quanto fizo esta por me facer plazer.[12]

---

[8] *Ibid.* Estrofa 438.
[9] *Ibid.* Estrofa 443.
[10] *Ibid.* Estrofa 700.
[11] *Ibid.* Estrofa 848.
[12] *Ibid.* Estrofa 698.

8.- Ejerce su oficio mediante pago:

Si me diéredes ayuda, de que passe un poquillo
A esa moça é otras moçetas del cuell' alvillo
Yo faré con mi encanto que vengan pas' á pasillo;
En aqueste mi harnero las trayo yo al carçillo.[13]

Tanto en la literatura castellana como en la oriental, anteriores a Juan Ruiz, hemos visto que existen antecedentes sobre la tercera, pero éstos no influyeron en la creación de la Trotaconventos del Arcipreste, así como tampoco encontramos influencia latina de Ovidio y sus imitadores, en cuanto a la genial creación del personaje típicamente español, opinión que apoyamos en las certeras palabras de Marcelino Menéndez y Pelayo: "La Anus de la comedia de Pánfilo no tiene carácter: es un espantajo que no hace más que proferir lugares comunes "Trotaconventos" muestra ya los principales rasgos de Celestina."[14]

La introducción de la tercera, tanto en el *Libro de Buen Amor* como en los demás libros de la Edad Media, es como corolario del loco amor y así vemos que, Don Melón, ante la imposibilidad impuesta por los hombres de entrevistarse a solas con la dueña de sus pensamientos, la bella y hermosa Doña Endrina, tiene que recurrir a una tercera, pues sin ella sus amores no podrían realizarse por falta de comunicación y así dice: "Busqué a la Trotaconventos conforme el amor me ordenó". Esta tercera suprimirá las distancias, acercará los corazones, facilitará las entrevistas amorosas; y por estos servicios inapreciables sólo cobrará cantidades modestas, comparadas con la magnitud del resultado feliz de sus gestiones de medianera.

¿Cómo era Trotaconventos? Pues, una vieja disfrazada de vendedora ambulante; vendía peines, cintas, pañuelos, collares, mantillas, medias, baratijas; para valiéndose de este ardid, ir de casa en casa, y especialmente entrar en aquellas en las que debía deslizar en el oído de las mujeres hermosas, los requiebros e inquietudes de los desdichados amantes; y, así mientras la joven curioseaba entre ese amontonamiento de artículos disímiles, la

---

[13] *Ibid.* Estrofa 718.
[14] Marcelino Menéndez y Pelayo. *Estudios de Crítica Histórica y Literaria.* Espasa-Calpe, Argentina, S.A. 1944, pág. 3

17

mensajera, con arte mágico, dejaba caer en el oído de la otra, el mensaje del galán enamorado. Para ella no había obstáculos, pues poseía el don casi taumatúrgico de desarmar resistencias, barrer desconfianzas, avivar sentimientos, planear encuentros clandestinos. Carta que llevaba no sólo era entregada, sino contestada por la interesada accediendo a los requiebros del galanteador y con esta respuesta cobraba Trotaconventos sus emolumentos, por la función felizmente realizada.

Cuando Don Melón encuentra a Trotaconventos la hace partícipe de sus cuitas amorosas y ésta le asegura que Doña Endrina será de él y de nadie más, pues pese a que otro galán la ha visto con iguales pretensiones, ella no le ofrecerá sus servicios de tercería, pues éste no quiere pagar y ella como soldado en efectivo no puede servir a crédito ni gratuitamente.

Don Melón ve los cielos abiertos; la dicha y el gozo no le caben dentro de sí y empieza a pagar a la amable Bruja, pero advirtiéndole que si lo engaña, él está presto a retorcerle el cuello. Don Melón queda convencido de las seguridades que le da Trotaconventos, las que ve confirmadas plenamente al día siguiente de Santiago, ya que a la hora convenida e inteligentemente escogida por la alcahueta, "la del medio día, cuando yanta la gente", se encuentra con Doña Endrina, en la tienda de Trotaconventos. La alegría de Don Melón en este encuentro está reflejada en el recibimiento que hace a la amada cuando le dice: "Señora Doña Endrina, vos la mi enamorada". Don Melón llega a la culminación de sus amores, como lo demuestran estos versos:

Don' Endrin' é don Melón en uno casados son:
Alegránse las conpanas en las bodas con rrazón.
Sy vyllanía he fecho, aya de vos perdón:
En lo feo del estoría diz' Panfilo e Nasón.[16]

Y, ¿a quién se debió en gran parte este triunfo en el amor? No hay duda que a la intervención sabia de la tercera; a ésa que une a los que se aman; a ésa que es un azote para combatir la soledad;

---

[16] Arcipreste de Hita. *Libro de Buen Amor* Tomos I y II. Edición y notas de Julio Cejador y Frauca. Clásicos Castellanos. Vols. 14 y 17. Espasa-Calpe, S.A. Madrid. 1963. Estrofa 891

18

a ésa que endulza los corazones de los amantes; y, todo por un módico precio.

Pese al benéfico oficio que Trotaconventos ejerce, el narrador de los amores de Don Melón, la calificó con una serie de epítetos abominables, que en número de cuarenta y nueve, amontona contra ella:

A la tal mensajera nunca le digas maca,
Byen o mal que gorgee, nunca l' digas pycaca
Señuelo, cobertera, almadana, coraca
Altaba, traynel, cabestro nin almohaca,

Garavato nin tya, cordel nin cobertor,
Escofyna nin avancuerda nin rascador,
Pala, agusadera, freno nin corredor
Nin badil nin tenasas nin ansuelo pescador,

Campana, taravilla, alcahueta nin porra,
Xaquima, adalid nin guya nin handora;
Nunca le digas trotera, aunque por ti corra:
Creo, si esto guardares, que la vieja te acorra.

Aguijón, escalera nin abejón nin losa,
Traylla nin trechón nin rregistro nin glosa:
Desir todos sus nonbles es á mí fuerte cosa,
Nonbles é maestrías más tyenen que raposa.[16]

Con cada uno de estos nombres nos ofrece las perspectivas del personaje, que lo perfilan de acuerdo con sus funciones y habilidades, para probarnos, además, que la condición humana no es absoluta.

Pese a todo, nos luce un tanto ingrata esta calificación amarga; y, lo mejor hubiera sido llamar a la Trotaconventos como ella misma pide y el Arcipreste repite:

Nunca digades nonbre malo nin de fealdat;
Llamatme buen amor é faré yo lealtat:

---

[16] *Ob. Cit.*, Tomo II, pág. 19. Estrofas 924-927

Ca de buena palabra págase la vesindat,
El buen desir non cuesta más que la nescedat. [17]

El Arcipreste, con motivo de la muerte de Trotaconventos,
compuso unas coplas que merecen especial atención:

Tyras toda vergüença, desfeas fermosura,
Desadonas la gracia, denuestas la mesura,
Enflaquesçes la fuerca, enloquesçes cordura,
Lo dulçe fases fiel con tu mucha amargura.

Desprecias loçanía, el oro escureçes,
Desfases la fechura, alegría entristeçes,
Masyllas la lynpiesa, cortesía envileçes:
¡Muerte, matas la vida, al mundo aborreçes! [18]

Vemos en estas estrofas una serie de elementos cortesanos
muy conocidos; adjetivos como vergüenza, fermosura, mesura,
cordura; y verbos como desadorar, despreciar.

Cuando el Arcipreste de Hita escribe esas estrofas llenas de
sinceridad sobre la muerte de Trotaconventos, nos da el milagro
sorprendente de que la primera elegía escrita en la lengua
castellana se dirija a una alcahueta, en lugar de ir dirigida a seres
queridos; a grandes hombres de la patria; como harán más tarde
los poetas elegíacos españoles como Manrique, Garcilaso, Lope,
Espronceda. Luego si estos poetas cantan a los "suyos", Trotaconventos debió estar muy cerca de Juan Ruiz, y por ello se ganó ese
canto funeral.

La muerte de Trotaconventos lo dejará envuelto en el más
triste duelo y su epitafio, sin dejar el tono burlón, llevará manifestaciones de dolor, casi paralelas a las de Dante a la muerte de
Beatriz.

Una vez ida a mejor vida su "vieja tercera", busca el autor a un
joven que sustituirá a Urraca, en sus oficios. Lo encuentra y le
llama Furón, nombre que es a su misión, como el arco a la flecha,

---

[17] *Ibid.* Estrofa 932

[18] *Ibid.* Estrofas 1548 y 1549.

20

es enredador y pendenciero; en él vemos los rasgos del pícaro de la novela clásica y así lo describe Juan Ruiz con suprema ironía:

Pues que ya non tenía mensajera fiel,
Tomé por mandadero un rrapás traynel:
Hurón avía nombre, un apuesto donçel,
¡Synon por quatorçe cosas, nunca vy mijor qu' él!

Era mintroso, beodo, ladrón é mesturero,
Tahur, peleador, goloso, rrefertero,
Rreñidor, adevino, susio é agurero,
Necio é pereçoso: tal es mi escudero.[19]

Comía, si podía, si no ayunaba. El resultado de su primera gestión de tercería fue tan funesto que el Arcipreste pide a la virgen que lo libre de tal demonio.

Es en los rasgos básicos de la tercera que dan vida a su Trotaconventos, donde radica el indiscutible mérito de Juan Ruiz, ya que éstos fueron creados por él, en la literatura castellana.

De este modo, el "clérigo ajuglarado" forja y modela en Trotaconventos el brillante en bruto, de lo que será la piedra preciosa de irizadas luces de la Celestina, tallada más tarde, con admirable superación, por Fernando de Rojas, para darnos el prototipo definitivo de la alcahueta en la literatura española.

No hay duda de los lazos familiares que unen a ambos personajes y algunas de las frases de Trotaconventos fueron heredadas por Celestina.

Desque fue en mi casa esta vieja sabida,
Dixele: "Madre senora, tan bien seades venida:
En vuestras manos pongo mi salud e mi vida;
!Sy vos no me acorredes, mi vida es perdida.

Oy dezir de vos mucho bien e aguisado
De quantos bienes fazedes al que vos viene coytado,
Como ha bien e ayuda quien de vos hes ayudado:
Por vuestra buena fama he por vos enviado.

---

[19] *Ibid.* Estrofas 1619 y 1620

Quiero fablar convusco bien como en penitencia:
Toda cosa que vos diga, oylda en paciencia;
Si non vos, otro non sepa mi quexa e mi dolencia.
Diz' la vieja: "Pues desildo e aved en mi creencia.[20]

Alahé, diz', "acipreste, vieja con coyta trota,
É tal falsedes vos, porque non tenedes otra:
Tal vieja para vos guardadla que conorta,
Que "mano besa ome, que la querría ver corta.[21]

La conversación entre Calixto y Celestina, en el acto primero de la obra de Rojas, recuerdan las del mancebo, la primera vez que habla con Trotaconventos.

También es semejante, la escena en que Celestina, simulando vender "un poco de hilado", entra en casa de Melibea, con aquella otra escena, de la obra de Juan Ruiz, en que Trotaconventos, aparentando vender baratijas, entra en casa de Doña Endrina. En estos pasajes, hasta las conversaciones son idénticas.

La figura misma de Celestina la podemos ver surgir en las estrofas 437 a 440 del *Libro de Buen Amor*, sin que esto implique que Rojas no le imprimiera las dotes maravillosas de su ingenio, para desarrollar con acierto no superado aún, el boceto del Arcipreste, así pues la Trotaconventos, de Juan Ruiz, adquiere sello de nobleza literaria, en la Celestina, de Rojas.

Para concluir diremos, que Trotaconventos y su heredera por línea directa, Celestina, obtienen popularidad, al igual que otros personajes arquetipos de la literatura española, porque encarnan tipos, situaciones y motivos reales y humanos. Ambos personajes representan el eterno problema de la carne, agudizado en España, al enfrentarse el fuerte temperamento español con el concepto místico de la virginidad. El amor se torna en tragedia, ya que impera en la época la idea absurda de que para conservar la honra deben las mujeres vivir encerradas y celosamente guardadas. Ese problema origina el aislamiento doloroso de los amantes que resolverá el ingenio español, picarescamente, por medio de la Trotaconventos primero y de la Celestina después.

---

[20] *Ibid.* Estrofas 701, 702 y 703.
[21] *Ibid.* Estrofa 930.

No obstante las costumbres españolísimas de este personaje, que adquiere "carta de ciudadanía" en España, su origen viene de afuera, lo vemos en la vieja Anus del Pamphilus de Amore", o "Comedia de Vestula", primera comedia de amor del teatro ovidiano; antecedente éste que el Arcipreste no niega y así nos dice:

Sy vyllanía he fecho, aya de vos perdon:
En lo feo del estoria diz' Panfilo e Nasón.

El hecho de que Doña Urraca, la Trotaconventos de Juan Ruiz, posea en líneas generales algunas de las cualidades de Anus la vieja que aparece en Pamphilus: y, otras de "Dipsas", la vieja que figura en "Ars Amandi" de Ovidio; ello no implica en modo alguno, que el personaje del Arcipreste no sea, como acertadamente dice Menéndez y Pelayo, "una creación propia del Arcipreste y ella y no la Dipsas de los amores de Ovidio, ni mucho menos la vieja del Pánfilo, deben ser tenida por abuela de la madre de Celestina".[22]

No obstante, el propio Menéndez y Pelayo, reconoce que Dipsas y Celestina tienen rasgos comunes: "la embriaguez, la hechicería y el oficio que ambas ejercen de concertadoras de ilícitos tratos así como la pérfida astucia de sus blandas palabras y viles consejos".

Además de las frases con que Ovidio describe a Dipsas, establece una semejanza entre ésta y sus hermanas españolas Trotaconventos y Celestina ... "no le falta elocuencia a su lengua emponzoñada" nos dice Ovidio, y con esto nos da el atributo medular que constituye la esencia de este picaresco personaje.

Pese a la ascendencia latina y a la árabe, Trotaconventos y Celestina tienen arraigados dentro de sí, el paisaje y sicología del pueblo que representan, con tan encantadores contornos que han influído e influyen en la literatura de otros pueblos de distintas latitudes, llevando en su seno el distintivo especial de su raza.

[22] Marcelino Menéndez y Pelayo. Estudios de Crítica Histórica y Literaria. Espasa-Calpe, Argentina, S.A. 1944.

Santa Teresa: Las Metáforas en el
"Libro de su vida"

Antes de entrar en el tema objeto de nuestro análisis, creemos conveniente dedicar unos breves comentarios al lenguaje de la época en que le tocó vivir a Teresa de Cepeda y Ahumada, la santa de Ávila, quien dentro del misticismo español logró, tanto en su obra como en su vida religiosa, conjugar realidad y espíritu, vida interior y actividad exterior.

La segunda mitad del siglo XVI, impregnada del espíritu de la Contrarreforma, se distingue por la gran afloración de la literatura mística. Quizás esto se deba al desarrollo político de España y al deseo de descubrir también las regiones del espíritu. De aquí las incursiones que los escritores harán para descubrir y describir al hombre interiormente con sus pasiones y sentimientos.

Los escritores místicos al tratar de expresar lo que han experimentado íntimamente tropiezan con la dificultad, en cuanto al lenguaje, de aclarar esas experiencias místicas y para obviar estas dificultades se valdrán de símbolos, metáforas, alegorías y comparaciones; y, en ocasiones aplicarán al Amor Divino las manifestaciones más ardorosas del amor humano, surgiendo como resultado de esto un contrasentido.

El lenguaje místico es una de las grandes aportaciones al lenguaje de todos los tiempos y a él debemos, en el siglo XVI, que el lenguaje castellano se convirtiera en español.

Dentro de esta época, el lenguaje de Santa Teresa se caracteriza por su serenidad, "escribe como habla" como diría Juan Valdés, no selecciona mucho las palabras. Ella escucha atentamente su propia inspiración y llaneza y escribe con religiosidad. Todo su lenguaje es afectivo, lleno de emoción y de muchos diminutivos, a lo que hay que añadir, además, el drama de su vida: "buscar la verdad".

Lo interesante de su lenguaje, es que brota de una gran sensibilidad y lo que lo hace artístico es el uso de las alegorías, las imágenes, las comparaciones, las metáforas y los símbolos, en los que fue maestra. Con estas figuras literarias y otras más expresará sus estados anímicos y sus experiencias místicas.

También es de destacar su lenguaje descriptivo, por la policromía, con el que nos recuerda las pinturas de su contemporáneo El Greco.

Con este lenguaje espontáneo, sencillo, natural y artístico: "los escritos teresianos, inspirados por el amor y rebosantes de emoción, obtenían, como añadidura, la suprema belleza literaria."[1]

Como el título de nuestro trabajo lo indica, pretendemos presentar nuestros comentarios sobre Santa Teresa, y la sobrecogedora fuerza impresionante de sus metáforas, en el *Libro de su Vida*, las que se distinguen por su espontaneidad y sentido artístico profundo.

Vamos a acercarnos a Santa Teresa de Jesús y al hacerlo experimentamos cierto temor, pese a la religiosidad que sentimos ante figura tan egregia, no sólo desde el ángulo religioso, sino desde el humano que es el que más analizaremos; pues estudiaremos e investigaremos el *Libro de su Vida* y a su autora en nuestro mundo. En éste vamos a conocer a "la mujer", a "la monja" y no a "la santa". En esta obra Santa Teresa nos dejó escrita su biografía no para que la conociéramos a ella, sino para que a través de su obra conociéramos a Dios.

Es lógico suponer que siendo una biografía encontraremos en ella detalles de su vida, y no nos equivocamos. Ella nos refiere a grandes rasgos su vida de familia, sus dolencias, pero hay algo más.

Lo que maravilla en su libro son las páginas dedicadas a tratar de explicarnos su vida interior, sus ansias, sus angustias, su agonía, esa lucha por alcanzar la perfección, el Sumo Bien.

Nos refleja el libro los afectos más tiernos de su corazón hacia Dios, su Gran Amor. Ese Dios que la regaló con tantos favores especiales.

Como veremos el *Libro de su Vida*, más que una autobiografía, es un análisis sicológico, en el que la autora nos descubre el interior de su corazón y de su alma.

Es difícil imaginar cómo una mujer del siglo XVI, sin una verdadera educación formal, como no poseía Santa Teresa, haya podido expresar en un lenguaje tan claro y con palabras tan

---

[1] Lapesa, Rafael. *Historia de la lengua española* 5ta. ed. Escelicer S.A., Madrid, 1959. pág. 212.

exactas, los estados del alma y las angustias de un corazón inflamado de esa llama divina de amor. Son tan abstractos y de tal trascendencia los problemas que trata que, al leerlos, bien se puede pensar, que tenemos en nuestras manos, un tratado filosó-fico-teológico, sin embargo todo está dicho con tanta naturalidad, sencillez y frescura, como devoción sin afectación. No emplea palabras abstractas, es el lenguaje cotidiano, así nos señala Menéndez Pidal al decir: "El principio *escribo como hablo*, sigue imperando en Santa Teresa, pero hondamente modificado, ya que en ella el sentimiento religioso la lleva a descartar toda selección de primor para sustituirla por un atento escuchar las internas inspiraciones de Dios".[2]

En fin, que al recorrer las páginas de su libro nos parece tenerla sentada delante tratando de enseñarnos el camino. Eso es, nos habla y nos conversa de los momentos vividos por ella.

El *Libro de su Vida* es un documento extenso. Su estudio haría este trabajo muy largo. Refiriéndose a este libro nos dice el escritor inglés Allison Peers: "Saint Teresa first book, her *Life,* is the most interesting of her works to study from the standpoint of style, since it reveals her as a learner in the art of becoming with amazing rapidity".[3]

Nos concretaremos sólo a comentar los medios de que se valió Teresa para, con sus escasos conocimientos y lo limitado de su lenguaje, explicarnos la historia de su vida espiritual, en ese estilo sencillo, con esa ingenuidad. ¿Cómo pudo hacerlo?

Empleó Teresa imágenes sencillas, por medio de metáforas y ya aquí entramos en nuestro tema: *el estudio de las metáforas en el Libro de su Vida.*

El uso de las metáforas parece que fue frecuente entre los místicos, pero en Teresa adquiere este recurso literario un carácter propio.

Entusiasmado, con el uso de metáforas en los escritos de Teresa, nos dice Allison Peers: "Closely connected with Saint Teresa's vocabulary is her use of imagery. Here, both in variety

---

[2] Menéndez Pidal, Ramón. *La Lengua de Cristóbal Colón, El estilo de Santa Teresa y otros estudios sobre el XVI,* Espasa-Calpe, Madrid, 1958, pág. 74

[3] Allison Peers. *Saint Teresa of Jesus and other Essays,* Faber & Faber, Londres, 1953, pág. 110.

and in effectiveness, she excels." "She has a pictorical imagination."[4]

Ciertamente hay en los escritos de Santa Teresa una gran variedad de imágenes, pero es en los efectos que éstas producen donde la autora es magistral. Gracias a la variedad metafórica teresiana se expresan con acierto finas diferencias conceptuales.

Mucho se ha comentado sobre la influencia de los franciscanos como Laredo y Osuna en la obra de Santa Teresa y sobre todo en el empleo de las metáforas. A propósito de esto nos dice Menéndez Pidal: "Santa Teresa se instruyó y fue escritora gracias a que la reforma española del Cardenal Cisneros había promovido el cultivo de la lengua vulgar en traducciones de varios libros místicos medievales, hechos generalmente por frailes franciscanos" y más adelante menciona "cuyo espíritu se había formado al calor de las devotas lecturas franciscanas". Es cierto que había leído a algunos franciscanos, pero no creo que podamos afirmar, categóricamente, que su espíritu se formó solamente por dichas lecturas, aunque hubo una influencia indirecta de los santos frailes.

A este propósito nos dice Domínguez Barrueta: "Santa Teresa no es un eco ni una copia de los autores místicos que hubo de leer".[5]

Y yo diría, Teresa es un eco del Espíritu Santo, ahí está su pluma para que Él la guíe. Él es su inspiración. Etchegoyen en el libro que escribió sobre el amor divino de la Santa, nos dice: "Antes de escribir ignora lo que va a decir. Y sabe todo, como lo va a decir"... "Su misión fue la de interpretar a Dios".[6]

Creo que Menéndez Pidal confirma lo que he dicho de la inspiración divina en Teresa cuando nos dice hablando del estilo en la Santa: "La inspiración divina que para sus imágenes y su lenguaje sentía la Santa no es una ilusión engañosa que encubre simples reminiscencias de lecturas hechas. La inspiración de todo

---

[4] Allison Peers. *Ibid.* pág. 87.

[5] Domínguez Barrueta, Juan. *Santa Teresa de Jesús.* Introducción, Espasa, S.A. Madrid 1934

[6] Etchegoyen, Gaston. *L'amour divin:* essai sur les sources de *Sainte Therese Bordeaux,* 1924

espíritu poético, hablando a lo humano, no faltaba a la carmelita".[7]

El estilo de Teresa es espontáneo, ella no leía hacía tiempo y sólo recuerdos lejanos había en su mente. Al efecto nos dice Ramón Menéndez Pidal: "La austera espontaneidad de la Santa es una espontaneidad hondamente artística. Aunque quiere evitar toda gala en el escribir, es una brillante escritora de imágenes".[8]

¿Por qué decimos que en Teresa las metáforas adquieren un carácter propio? En ella la observación de la cotidianidad es patente. Teresa nos tiene que explicar sus estados interiores. No es fácil interpretar sentimientos divinos y expresarlos con lenguaje humano. Ella misma nos lo dejó dicho en el *Libro de su Vida:*

> Habré de aprovecharme de alguna comparación, que yo las quisiera excusar por ser mujer, y escribir simplemente lo que me mandan, mas este lenguaje de espíritu es tan malo de declarar a los que no saben letras, como yo, que habré de buscar algún modo, y podrá ser las menos veces acierte a que venga bien la comparación; servirá de dar recreación a vuesa merced de ver tanta torpeza.[9]

Teresa nos explica por medio de expresiones sencillas, los estados más complejos del alma.

Resulta fácil deducir por qué Teresa va a la naturaleza creada por Dios, y que se valga de ella para interpretar sus emociones.

En esa búsqueda la primera expresión divina que se presenta a la Santa, tanto en su vida como en su doctrina, la encuentra en la naturaleza. Refiriéndose a las metáforas de Teresa dice Etchegoyen: "Sont les Metaphores de l'amour Divin empruntees a la Nature, a la societe, aux sentiments humains et a la Bible".[10]

---

[7] Menéndez Pidal, Ramón. *Ibid.* pág. 136.

[8] Menéndez Pidal, Ramón. *Ibid.* pág. 76.

[9] Santa Teresa de Jesús, *Obras Completas,* Editorial de Espiritualidad, Madrid, 1963, pág. 75.

[10] Etchegoyen, Gastón, *Ob. Cit.,* pág. 223.

Para conocer a Dios en el espejo de la naturaleza o en cualquier otro aspecto en que se refleje su divinidad hay que amarlo. Para amar a Dios y para recibir de Él los bienes de la gracia hay que estar libre de los pecados.

Toda la creación es sólo una apariencia sensible del mundo de Dios. Para comprender Teresa los estados de su alma tenía que ir a Dios, su principio.

Ella intrepreta la realidad de ese mundo interior a través de las apariencias del mundo sensible. Así nos lo explica en el *Libro de su Vida:*

> Aprovechábame a mí también ver campos, agua, flores; en estas cosas hallaba yo memoria del Criador; digo que me despertaban y recogían y servían de libro, y en mi ingratitud y pecados. En cosas del cielo, ni en cosas subidas, era mi entendimiento tan grosero, que jamás por jamás las pude imaginar hasta que por otro modo el Señor me las representó.[11]

Dice Etchegoyen refiriéndose a ese mundo interior de la Santa: "Le mystique est un poete qui croit a la verite de ses symboles, parce qu'il croit en Dieu."[12]

El libro de su Vida está lleno de alusiones a la naturaleza, como símbolos, al tratar de explicarnos su vida interior. ¿Qué representan para una monja, que permanece por lo general encerrada entre las tapias del convento, los elementos de la naturaleza?

La naturaleza es su mundo, el único mundo que la rodea. Allí está el agua, en la fuente del jardín; las palomas que se posan en la ventana de su celda o los pájaros que revolotean buscando quizás otras tierras; y los últimos rayos de la luz del sol que anuncian su retirada con sus resplandores de fuego.

Las metáforas en Teresa están creadas desde adentro, el valor está, no tanto en las imágenes, como en la fuerza de las ideas.

---

[11] Teresa de Jesús, *Ob. Cit.,* pág. 63.

[12] Etchegoyen, Gastón, *Ibid.,* pág. 223

Teresa nos vierte su propia alma, aún mejor, Teresa nos abre su "celda interior" para que entremos en la riqueza profunda de su vida íntima; hagámoslo pues...

EL AGUA

El agua parece haber sido uno de los símbolos de su predilección. No es extraño, pues la Biblia y los Evangelios están llenos de imágenes en que aparece el agua como símbolo. En los Evangelios, hay un pasaje que parece hubo de ejercer gran influencia en Santa Teresa, el Evangelio en el que Jesucristo pide de beber a la Samaritana. En casa de Teresa había un cuadro que representaba esta escena y siempre impresionó mucho a Teresa pues nos escribe en el *Libro de su Vida:*

> ¡Oh, que de veces me acuerdo del agua viva que dijo el Señor a la Samaritana! Y ansí soy muy aficionada a aquel Evangelio; y es ansí cierto, que sin entender, como ahora, este bien, desde muy niña lo era, y suplicaba muchas veces al Señor me diese aquel agua; y la tenía dibujada donde estaba, siempre con este letrero, cuando el Señor llegó al pozo: *Domine, da mihi aquam!*[13]

En este pasaje puede que haya encontrado Teresa representado uno de los sentimientos que predominan en su alma: el de la nostalgia del amor de Dios. El alma de la Samaritana que pide de esa "agua viva", en presencia de Cristo, nos recuerda los deseos infinitos del alma de Teresa por su Dios.

Algunas veces, nos combina Teresa el agua, como un sentimiento de ternura, con las lágrimas, como una expresión de recogimiento; y, así nos dice:

> Queda el alma desta oración y unión con grandísima ternura; de manera que se querría deshacer, no de pena, sino de unas lágrimas gozosas;...más dale gran deleite ver aplacado aquél ímpetu del fuego con agua; que le hace más crecer; parece esto algarabía, y pasa ansí.[14]

---

[13] Teresa de Jesús, *Ibid.,* pág. 260.

[14] Teresa de Jesús. *Ibid.* pág. 138.

Hay en el *Libro de su Vida* varios capítulos que dedica Teresa a explicarnos los distintos estados de oración, usando el agua como símbolo. Es el alma un terreno árido que es necesario transformar en jardín. La oración es la que proporcionará esa agua de amor que hace nacer las flores y los frutos. Nosotros seremos los hortelanos, Dios es el dueño y Emperador. Veamos que nos dice Teresa:

Pareceme a mí que se puede regar de cuatro maneras: o con sacar el agua de un pozo, que es a nuestro gran trabajo; o con noria y arcaduces, que se saca con un torno; yo la he sacado algunas veces; es a menos trabajo que estotro, y sacase más agua; o de un río o de arroyo; esto se riega muy mejor, que queda más harta la tierra de agua, y no se ha menester regar tan a menudo, y es menos trabajo mucho del hortelano; o con llover mucho, que lo riega el Señor sin trabajo ninguno nuestro, y es sin comparación mejor que todo lo que queda dicho.[15]

En la primera etapa, el primer esfuerzo que Dios exige del hombre para infundirle la gracia divina, es la voluntad. A este grupo, pertenecen los que sacan el agua del pozo. Es necesaria la meditación que es la que, una vez iniciados en la oración, junto con los buenos pensamientos, riegan nuestra vida interior y así nos lo explica Teresa:

...y hacemos lo que podemos para regar estas flores; y es Dios tan bueno, que cuando por lo que Su Majestad sabe, por ventura para gran provecho nuestro, quiere esté seco el pozo, haciendo lo que es en nosotros, como buenos hortelanos, sin agua sustenta las flores, y hace crecer las virtudes; llamo agua aquí las lágrimas, y aunque no las haga, la ternura y sentimiento interior de devoción.[16]

---

[15] Teresa de Jesús. *Ibid.* pág. 76.

[16] Teresa de Jesús. *Ibid.*, pág. 78.

Hay que recorrer la oración mental, es necesario regar el jardín. No vacilemos, pues todos los comienzos son duros y recuerdo que nos dice Teresa: "Y muchas veces le acaecerá, aún para esto, no alzársele los brazos, ni podrá tener un buen pensamiento; que este obrar con el entendimiento, entendido que es el sacar agua del pozo."[17]

Santa Teresa, como vemos, insiste en los efectos de esta oración, es un ejercicio duro el sacar así agua del pozo.

El segundo paso es el de sacar el agua con noria y arcaduces. Se fatiga una menos, es un grado más elevado, representa la oración con quietud. Es éste el paso del mundo, de los sentidos al mundo espiritual, de la contemplación a la meditación; y, así nos dice Teresa:

> Verdad es que parece que algún tiempo se ha cansado en andar el torno y trabajar con el entendimiento, e henchídose los arcaduces, se trabaja muy menos que en sacarla del pozo; y digo que está más cerca el agua, porque la gracia dáse más claramente a conocer el alma"..."toca ya aquí cosa nobrenatural.[18]

Lo que distingue esta oración de aquéllas que siguen más adelante son sus acciones. Aquí es la voluntad sola la que permanece recogida mientras, que el entendimiento y la memoria andan disipados.

Ya están aquí los árboles listos para florecer y dar frutos y las flores a punto de perfumar el ambiente, vamos ya camino de la oración perfecta, el alma que, está simbolizada por el huerto, está presta a continuar vistiendo sus mejores galas, gracias a los buenos cuidados del hortelano.

La tercera agua de que nos habla Teresa es ya la del paso entre la oración de quietud y la unión:

> Es un sueño de las potencias, que ni del todo se pierden, ni entienden como obra...Es como uno que está con la candela en la mano que le falta poco para morir muerte

---

[17] *Ibid.,* pág. 78.
[18] Teresa de Jesús. *Ibid.,* pág. 101.

que la desea...Es un glorioso desatino, una celestial locura, adonde se desprende la verdadera sabiduría, y es deleitosísima manera de gozar el alma.[19]

El agua con que se riega el huerto es la que viene del río o de un arroyo, es el agua que corre con facilidad, pero que hay que traerla hasta el huerto. Como vemos, es más fácil de acarrear que las dos anteriores, aunque con algún trabajo. cada vez se nos va facilitando más el conocimiento de Dios, cada paso nos aproximamos más al gran Emperador.

El cuarto estado, aquél en que el agua cae del cielo, sin esfuerzo alguno del hortelano, es el de la verdadera unión. Teresa en su libro nos dice lo difícil e imposible que le resulta explicarnos este estado. Ella no sabe si llamarlo unión, elevamiento o éxtasis.

Trata de explicarnos todo lo que ella siente, cómo se ha elevado algunas veces unos metros del suelo, ese "desasimiento extraño", ese buscar el alma diciéndose y preguntándose "¿Dónde está Dios?"

He aquí en resumen, las cuatro maneras de obtener el agua para el riego, es decir, las cuatro formas de que se vale Teresa para explicarnos los distintos grados de oración.

El agua que se saca del pozo con gran esfuerzo, es la oración mental.

El agua que se saca por medio de la noria, representa la oración de quietud.

El agua del río o la del arroyo, es un estado más elevado, el frescor penetra y permanece. Es como dice Etchegoyen "il sommeil de puissances."

El agua de lluvia fecunda, que fertiliza todo el jardín, representa la unión del cielo y la tierra.

En los primeros dos estados el agua brota de abajo, del fondo; está ahí escondida, pero sólo mediante nuestro esfuerzo podremos alcanzarla. En el tercer estado ya está el agua al nivel de la tierra, es sólo cuestión de guiarla y conducirla. En el cuarto estado viene de arriba hacia nosotros, es como dije antes, la unión de las criaturas con su Creador.

El vergel místico cultivado por el hombre y regado por Dios ha sido creado para dar la flor de amor y el fruto de la acción. Dios lo

---

[19] Teresa de Jesús. *Ibid.,* pág. 118.

recompensa todo, un pequeño esfuerzo de voluntad de nuestra parte y recogeremos los del "ciento por uno".

EL FUEGO

Santa Teresa emplea varias veces en el *Libro de su Vida,* la metáfora del fuego.

El fuego es el símbolo del amor por excelencia. El agua viene de Dios a nosotros, el fuego sube de nosotros a Dios.

Teresa utiliza la imagen del fuego en su obra para explicarnos la transformación del alma en Dios:

> Porque tienen mucho seso los que predican. No están sin él con el gran fuego del amor de Dios como lo estaban los Apóstoles, y ansí calienta poco esta llama; no digo yo sea tanta como ellos tenían, mas querría que fuese más de lo que veo.[20]

Este fuego, simboliza algunas veces la oración de quietud; y, otras la unión:

> Es pues esta oración una centellica que comienza el Señor a encender en el alma del verdadero amor suyo...
> Esta quietud y recogimiento y centellica, sí es espíritu de Dios,... Pues esta centellica puesta por Dios, por pequeñita que es, hace mucho ruido; y si no la matan por su culpa, ésta es la que comienza a encender el gran fuego que echa llamas de sí... Es esta centella una señal o prenda, que da Dios a esta alma de que la escoge ya para grandes cosas.[21]

Distingue más adelante, los efectos de la unión y nos dice:

> ...bien que el alma alguna vez sale de sí mesma, a manera de un fuego que está ardiendo y hecho llama y algunas veces crece este fuego con ímpetu. Esta llama sube muy

---

[20] Teresa de Jesús. *Ibid.,* pág. 123.

[21] *Ibid.,* pág. 110.

arriba del fuego, mas no por eso es cosa diferente, sino la mesma llama que está en el fuego.[22]

A medida que el alma se aproxima a Dios siente en su "herida" alegrías y sufrimientos más vivos, esto nos lo explica Teresa en la visión del ángel:

> Veíale en las manos un dardo de oro largo, y al fin del hierro me parecía tener un poco de fuego. Este me parecía meter por el corazón algunas veces, y que me llegaba a las entrañas.[23]

LA LUZ

Santa Teresa al igual que los demás místicos usa la luz en sus metáforas. Las combinaciones de sol, transparencias y reflejos, son los vocablos que la Santa emplea para explicarnos sus visiones imaginarias. El alma es reflejo de Dios. "Cristo es fuente de amor como el sol es fuente de luz y color."

Teresa parece recordar las metáforas de Osuna y de Laredo al usar la metáfora del diamante reflejando el sol. Al final de la obra que estudiamos, Dios está representado como un diamante y el alma como un espejo:

> Digamos ser la Divinidad como un claro diamante, muy mayor que todo el mundo, o espejo a manera de lo que dije del alma en otra visión... y que todo lo que hacemos se ve en este diamante, siendo de manera que él encierra todo en sí, porque no hay nada que salga afuera de esta grandeza.[24]

Y, en páginas anteriores nos dice:

---

[22] *Ibid.*, pág. 131.

[23] *Ibid.*, pág. 247.

[24] *Ibid.*, pág. 383.

Estando una vez en las Horas con todas, de presto se recogió mi alma, y parecióme ser como un espejo claro toda, sin haber espaldas, ni lados, ni alto ni bajo, que no estuviese toda clara, y en el centro della se me representó Cristo nuestro Señor como le suelo ver.[25]

El diamante muestra sus bellísimos reflejos al recibir la luz del sol, fuente de luz. En el espejo de su alma veía el reflejo de Dios, era su imagen.

Hablándonos de la oración de quietud, ya hemos visto como la compara a una "centellica" que pone el Señor en el alma para encender el amor suyo. Esta chispa es la que va a encender el gran fuego del grandísimo amor de Dios.

Al referirse al conocimiento de sí misma, con favor sobrenatural de Dios, declara "verse indignísima", ya que es tanta la luz que penetra en su alma que no hay rincón adonde sus rayos no alcancen. En el espejo de su alma veía Teresa el reflejo de Dios, era su imagen.

LOS PÁJAROS

Los franciscanos utilizaron el símbolo del pájaro en sus escritos, ya simbolizado por un águila; ya por una golondrina; ya por el fénix. Osuna en el Tercer Abecedario habla del vuelo del águila con sus dos alas que representan la voluntad y el entendimiento. Laredo, también emplea la metáfora del águila.

Santa Teresa utiliza la metáfora del águila para explicar la influencia de los maestros espirituales en los primeros esfuerzos, del alma en oración, y así afirma:

...y a los que vuelan como águilas con las mercedes que les hace Dios, quererles hacer andar como pollo trabado; sino que pongamos los ojos en Su Majestad, y si los viéramos con humildad, darle la rienda que el Señor, que les hace tantas mercedes, no los dejará despeñar.[26]

---

[25] *Ibid.*, pág. 380.

[26] *Ibid.*, pág. 369.

El director espiritual, que es al que ella se refiere, nunca debe limitar las almas escogidas, hay que dejarlas volar. Un ascetismo riguroso quizás dañaría la devoción de estas criaturas privilegiadas. Santa Teresa, con ese entusiasmo ardiente que caracteriza su obra y su doctrina, invita al alma a un esfuerzo cada vez mayor hacia la perfección:

> Espántame lo mucho que hace en este camino animarse a grades cosas; aunque luego no tenga fuerzas el alma, da un vuelo, y llega a mucho, aunque como avecita que tiene pelo malo, cansa y queda.[27]

Refiriéndose a los grados de la oración, que ya hemos visto, y en especial a la última etapa, a la de la unión, usa una bellísima imagen:

> ...que de en un grado en otro viene el Señor a tomar esta avecita y ponerla en el nido para que descanse. Como la ha visto volar mucho rato, procurando con el entendimiento y voluntad y con todas sus fuerzas buscar a Dios y contentarle, quiérela dar el premio, aún en esta vida...[28]

Creo que emplea una sola vez en el *Libro de su Vida*, las palomas como símbolo. Las palomas como expresión de las distracciones de la memoria y el entendimiento del alma en oración:

> ...son entonces como unas palomas que no se contentan con el cebo que les da el dueño del palomar sin trabajarlo ellas, y van a buscar de comer por otras partes, y hallánlo tan mal que se tornan; y ansí van y vienen a ver si les da la voluntad de lo que goza. Si el Señor quiere echarles cebo detiénense, y si no tornanle a buscar...[29]

---

[27] *Ibid.*, pág. 89.

[28] *Ibid.*, pág. 135.

[29] *Ibid.*, págs. 101-102

La memoria y el entendimiento andan en busca de otro señor, pero se ven perdidas y desamparadas y regresan a su Dueño y Señor.

LA ABEJA

Santa Teresa emplea esta metáfora como expresión de la humildad. *En su obra Camino de Perfección,* la abeja es símbolo del recogimiento de los sentidos; y, en su otra obra, *Las Moradas,* lo es de humildad.

En el *Libro de su Vida,* refiriéndose a la oración de quietud, nos dice:

> ...sino estése ella (la voluntad) gozando de aquella merced, y recogida como sabia abeja, porque si ninguna entrase en la colmena, sino que por traerse unas a otras se fuesen todas, mal se podría labrar la miel.[30]

Lo que nos quiere expresar aquí Santa Teresa, es que aunque la imaginación y el entendimiento estén disipados, la voluntad siempre debe permanecer laboriosa.

Para concluir diremos que las metáforas de Santa Teresa, que hemos comentado, revelan un arte más refinado del que la misma Santa nos da a entender. Proyecta esta mujer en su obra *Libro de su Vida* las concepciones que la Teología Católica nos ofrece sobre la vida espiritual. Santa Teresa es profunda; no es fácil entrar en la "celda interior de su vida":

> ...Le importa declarar bien las cosas del espíritu;...La firme consecuencia de las ideas no obliga el desarrollo lógico de la frase, que, como en el habla descuidada, se pierde en cambios repentinos de construcción, alusiones a términos no enunciados, concordancias mentales y abandono de lo que se ha comenzado a decir. El estilo canalizado en las

---

[30] *Ibid.,* págs. 111-112

normas usuales del discurso literario, sino como manantial que surte en la intimidad del alma.[31]

Su obra brota espontánea del fondo de su alma, con fuerza y fuego; fuego que abraza y consume, y que como todo fuego troca y transforma.

Nuestro gran poeta lírico, Antonio Machado, llama a Teresa de Jesús "alma de fuego"; y, en su fuego penetra el lector al leer las páginas del *Libro de su Vida*. Fuego que no quedó confinado a nuestro siglo XVI, sino que es un fuego que aún tiene connotaciones y vivencia en nuestros mejores escritores.

---

[31] Rafael Lapesa, *Historia de la lengua española,* 5ta. ed. Escelicer, S.A. Madrid, 1959, págs. 210-211

Quevedo y *"Los Sueños"*

Introducción

Para el sociólogo, don Francisco de Quevedo y Villegas podría ser un fiel exponente de los frustrados ideales político-religiosos mistificados por Carlos I y Felipe II, o de la escasa solidaridad social de la España de los siglos de oro, o de la desorganización social existente en España, tras medio siglo de guerras, bancarrota económica y aislamiento socio-cultural.

A Quevedo lo verá el marxista en función de la situación de las fuerzas productivas y las relaciones de producción de la época, ebullentes, ya, no sólo en España, sino también en el resto de Europa; lo verá el científico político a la luz de las complejas relaciones internacionales de la época y de la crisis del liderazgo político de las clases dirigentes.

Para el teólogo y filósofo católico, la vida y obra de Quevedo reflejaría los albores de la ruptura con el escolasticismo y el caos intelectual y espiritual originado por el protestantismo, el erasmismo, el cientificismo y el nuevo énfasis en las relaciones económicas como epicentro de la vida social.

Para nosotros, desde el punto de vista de la literatura, el análisis de una obra literaria ha de partir de su contenido, pero sin olvidar la circunstancia histórico-social de la época del autor, ni la motivación que se encuentra en el fondo de la composición.

En la producción literaria de Quevedo podemos ver los vicios, defectos, errores y decadencia de la España de fines del XVI y principios del XVII. Quevedo con una mirada abarca la desastrosa situación del aquél período y con valentía la denuncia y censura. No puede tolerar la corrupción que permeaba a la España de su tiempo y recurre a la presentación de la realidad en forma de "sueño".

Nuestro propósito al estudiar los *Sueños,* no es repetir lo que han dicho y han escrito otros críticos sobre las llamadas obras satírico-morales de Quevedo, sino comentar más bien, repetimos, la motivación que se encuentra en el fondo de las mismas, tal como puede aplicarse a la actitud rebelde y conflictiva de Quevedo con su época, de una parte, y, de la otra, relacionar dicha motivación con el estilo quevedesco en los *Sueños,* pues debajo del humorismo del autor se observa una crítica implacable y mortalmente seria contra la situación existente en su país.

En los *Sueños,* obras de lento proceso, compuesta de cinco libros —cada uno con su propio asunto y enlazado con los demás en fuerte unidad de conjunto— como en la mayoría de las obras en prosa de Quevedo, no vemos otro personaje que no sea *el hombre* en su sentido social; lo que hace de Quevedo un autor moderno y, en cierto sentido al menos, muy siglo XX. Por ello, al igual que *El Buscón,* son las obras de Quevedo, que más conoce el público, pese a que han corrido la misma suerte que el resto de la obra quevedesca, pues no se les ha otorgado una atención mayor por parte de los estudiosos, los cuales sólo se han limitado a dedicar a los *Sueños* un capítulo en las obras que han analizado la vida y obra de don Francisco, o a escribir alguna que otra tesis doctoral o estudios críticos que analizan los *Sueños* en su aspecto fonológico y estilístico.

Vamos, pues, a emprender un recorrido detallado por esta obra de Quevedo, a la que nadie niega su excepcional valor literario, por más que no tengamos estudios detallados sobre ella.

En primer lugar, hay que decir algo sobre la presentación de la realidad en forma de sueño, en la obra literaria.

¿Qué es el sueño? Un estado sicológico especial en el que el hombre repone fuerzas y descansa, sin que por ello se interrumpa el fluir de la conciencia (por mucho que se la pueda considerar en un estado especial, o de subconciencia). Concedamos, pues, que el estado del que sueña es el de un individuo semi-consciente. Intimamente ligada al sueño está la personalidad del que sueña. Por ello, en los *Sueños* vemos en Quevedo al hombre joven que va contra el destino y lo combate. Sabemos que Freud y sus discípulos ven en la interpretación de los sueños la revelación de la personalidad más íntima del hombre. Para Iván Pávlov, el otro gran sicólogo de nuestros días, el sueño se identifica con la inhibición, o respuesta negativa a los estímulos.[1] En el sueño se

---

[1] -I.P. Pávlov, *Psicología y psiquiatría,* Madrid, Morata, pp. 99, 51, 75, 89, 307 y 310.

inhiben casi todas las zonas del cerebro para responder solamente a excitaciones del ambiente particularmente intensas e importantes para el individuo.[2] Así, pues la sicología moderna considera el sueño como un significativo vehículo de la personalidad y de lo que es más importante para el individuo. Pero al mismo tiempo tenemos que tener en cuenta que Quevedo no sueña realmente, sino que pretende o finge que sueña. Por lo tanto, su uso del sueño como vehículo de su mensaje ideológico tiene, sicológicamente, la utilidad de poder destacar así sólo los rasgos más señalados y exagerados que más le interesan.

Pero Quevedo no usa el recurso del sueño solamente por razones sicológicas. Su fin primordial es reflejar la realidad que lo circunda. Y para comprender esa realidad que tanto le preocupaba, hay que hacer una breve referencia a la historia, apoyados en dos o tres autores.

La comprensión de un período histórico, en una sociedad determinada, exige determinar en primer lugar los factores del modo concreto de producción y el papel relativo de las clases sociales contrapuestas entre sí. Cualquier buena historia de España, en su análisis de la España Imperial (para referirnos enseguida a la época de Felipe III y IV), nos permitirá constatar que si las sociedades españolas, que iban a asociarse bajo una sola corona en esta época, habían adquirido una gran preponderancia en Europa desde fines de la Edad Media, lo debían principalmente al desarrollo de la ganadería, y especialmente de las ovejas merinas, de origen musulmán africano, pero criadas en el norte de la Península (ya que la ganadería apenas existía en el sur, donde era más importante el comercio):

> La cría del ganado era mucho más activamente desarrollada que la agricultura, debido en parte a la tradicional importancia de esa ocupación, y en parte a la facilidad con que esa clase de riqueza puede ser retirada de los peligros de la guerra —ventaja que la agricultura, naturalmente, no podía compartir—. La guerra secular de los ganaderos contra los agricultores fue usualmente favorable para los primeros, que habían de apropiarse de los terrenos de comunes para sus animales e incluso entrarían en campos

---

[2] *Ibid.*, p. 209.

cultivados para estropearlos o destruirlos. Y existían asociaciones de ganaderos para proteger sus intereses.[3]

Como sabemos, estas asociaciones, *mestas,* formaron una unidad superior en Castilla en el siglo XIII con el título de Mesta, y estaba dominada por los grandes nobles, que salían de la nobleza feudal, ahora cada vez más pequeña, pero ya se oponían a ella. Durante las crisis económicas y de cambios sociales de los siglos XIII, XIV y XV, esta clase de nuevos aristócratas semi-feudales fue avanzando hasta conseguir el poder económico, primero en Castilla y luego en el resto de la península; así dice J. Vicens Vives:

> La contracción económica tuvo repercusiones inmediatas en el aspecto social. Las más simples fueron las que se desencadenaron en Castilla, donde la (gran) nobleza aspiró a detentar el poder y asegurar, de este modo, su gigantesca fortuna (latifundios, propiedades arrebatadas a la Corona, juros y soldadas concedidos por reyes y regentes condescendientes), mediante disposiciones jurídicas apropiadas (establecimiento, de mayorazgos y señoríos) y concesiones económicas (la Mesta y sus principales cargos, las aduanas marítimas y terrestres, los servicios y montazgos, etc.). Con tal sublime aspiración, la aristocracia precipitó a Castilla en el caos de cuatro guerras civiles...[4]

La verdad es que el caos consiguiente al predominio de la aristocracia, cuando en toda la Europa avanzada empezaba a ascender la burguesía, fue mucho mayor que el hecho de esas guerras civiles. Como sabemos, la nueva aristocracia semifeudal produjo una violenta represión de la burguesía naciente, expulsó a los judíos no convertidos para apoderarse de sus propiedades y explotó después a los conversos, creando los horrores de la

---

[3] Charles E. Chapman, *A History of Spain,* The Free Press, New York, 1966, pp. 104-105 (Traducción de la autora).

[4] Jaime Vicens Vives, *Aproximación a la historia de España,* Editorial Vicens Vives, Barcelona, 1962, p. 105.

Inquisición para perseguirlos y para ayudar a sembrar el antise-
mitismo en el pueblo oprimido y desesperado, y en una serie de
guerras exteriores que culminaron principalmente en la de los
Treinta Años en el siglo XVII, llevó al país a la bancarrota y a la
despoblación. Esta aristocracia semifeudal que dominó a España
totalmente por lo menos desde Fernando e Isabel, era también
semi-mercantil, gracias a la venta de la lana de la Mesta a los
fabricantes de paños del norte de Europa. Esto les oponía no sólo
a la burguesía en ascenso al principio (y cada vez más suprimida),
sino también a la nobleza feudal empequeñecida. La aristocracia
semi-mercantil había abolido la servidumbre porque en su sistema
protocapitalista lo que se requería eran jornaleros. La nobleza
feudal en decadencia permitiría a los moriscos en Valencia y
Aragón mantener sus costumbres y religión para poder seguir
explotándolos como siervos medievales. La expulsión de los
moriscos terminó con este poder de los nobles feudales a principios del siglo XVII, y la aristocracia pudo repartirse los territorios
de los nobles desposeídos en forma de nuevos latifundios. La
aristocracia semi-feudal y semi-mercantilista fue también la
responsable de lanzar a España a una serie de guerras imperialistas
que muchos historiadores siguen disfrazando hoy de pretextos
religiosos. La verdad histórica está muy lejos de esos fervores o
fanatismos. J. H. Elliot, ha demostrado que aunque estas guerras
tomaran a menudo una forma religiosa muy natural para la época,
en realidad eran luchas por el predominio de las naciones y sus
alianzas[6], y, habría que añadir, de las clases predominantes en
cada sociedad, lo cual está en parte sugerido por el mismo
historiador inglés. España no fue ninguna excepción en esto, si se
mira a los hechos en vez de a las teorías. En la época de Quevedo,
en el siglo XVII, hasta las teorías de la propaganda oficial se
estaban derrumbando. Como dice Chapman:

> La desafortunada política de Carlos I y Felipe II continuó
> durante el siglo XVII en los reinados de Felipe III, Felipe IV
> y Carlos II, pero España ya no podía mantener su posición
> de primera fila en los asuntos europeos, especialmente

---

[6] J.H. Elliot, *Europe Divided (1559-1598)*, Haper Row, New York,
1969, p 107 ss.

después de los golpes de la fortuna que le cayeron en suerte en el reinado de Felipe IV.[6]

Durante esta época, la industria había decaído, como también la agricultura —incluso la Mesta vio la disminución impresionante del número de cabezas de ganado merino—. Mientras tanto, los gastos reales y de la aristocracia habían crecido, el pueblo había sido reducido a la condición pintada en la picaresca, y reinaban "la pereza, la hipocresía, la rutina y las prácticas externas".[7] Políticamente, el reinado de los favoritos expresa elocuentemente el predominio de la injusticia y la influencia en la sociedad; y las Cortes eran mal tratadas por los reyes y sus validos, aunque protestaba, en vano desde luego.[8] La iglesia, que desde el principio del período imperial había sido un gran poder económico, en el siglo XVII había perdido todo su prestigio, sujeta a la autoridad real.[9]

Este es el mundo en que vivió Quevedo, y éste es el que nos pinta en sus *Sueños,* cuyo principal mérito son la veracidad y la protesta. Como ha observado el gran poeta Pablo Neruda, que ha observado el carácter crítico y popular de Quevedo quizás mejor que ningún otro crítico:

> ...La tiranía corta la cabeza que canta, pero la voz en el fondo del pozo vuelve a los manantiales de la tierra y desde la oscuridad sube por la boca del pueblo.
> Éste es un viaje al fondo del pozo de la historia...
> Y os traigo conmigo en este viaje a un hombre turbulento y temible como Don Francisco de Quevedo y Villegas...
> Están en Quevedo, como en una bodega inmensa, como en la bodega de un inmenso vestuario de teatro, todos los trajes abandonados de una época. Está allí el traje del noble duque y del bufón miserable, el traje del rey patético, del rico abusador y el rostro innumerable de la muchedumbre hambrienta que más tarde se llamará "el

---

[6] Op. cit. p. 258.
[7] Chapman, op. cit., p. 283.
[8] *Ibid.,* pp. 288-290.
[9] *Ibid.,* pp. 320-323.

45

pueblo". Las casacas bordadas de los príncipes yacen junto a la ropa marchita de las meretrices, los zapatos del buscavida, del avaro, del pretencioso, del pícaro, se confunden con las reliquias de los más ingenuos campesinos...

...La crítica estalla por todas parte como un metal hirviente...

Nada dejó de ver en su siglo Don Francisco de Quevedo. Nunca dejó de ver ni de noche ni de día, ni en invierno ni en verano, y no cegó sus ojos de taladro frío el poderoso, ni le engañaron el mercenario ni el charlatán de oficio.

Martí nos ha dejado dicho de Quevedo: "ahondó tanto en lo que venía, que los que vivimos con su lengua hablamos."[10]

Y en otro lugar, el poeta de hoy, Pablo Neruda, añade:

La borrascosa vida de Quevedo, ¿no es un ejemplo de comprensión de la vida y de sus deberes de lucha? No hay acontecimiento de su época que no lleve algo de su fuego activo. Lo conocen todas las Embajadas y él conoce todas las miserias. Lo conocen todas las prisiones, y él conoce todo el esplendor. No hay nada que se escape a su herejía en movimiento: ni los descubrimientos geográficos, ni la búsqueda de la verdad. Pero donde ataca con lanza y con linterna es en la gran altura. Quevedo es el enemigo viviente del linaje gubernamental. Quevedo es el más popular de todos los escritores de España...[11]

La autora de este ensayo sobre los *Sueños*, concorde con el punto de vista del gran escritor hispanoamericano, quiere demos-

---

[10] Pablo Neruda, *Viajes,* Nascimiento, Santiago de Chile, 1955; las referencias citadas son del primer ensayo, "Viajes al corazón de Quevedo", pp. 9-12. Ha habido que limitar todo a unas pocas frases esenciales, pero todo el ensayo es precioso como defensa de Quevedo en cuanto crítico de la tiranía de la época y su relación con los poetas modernos y los tiempos de ahora.

[11] *Ibid.,* p. 19.

trar cómo esta obra particular de Quevedo ilustra sus creencias y su rebeldía contra las fuerzas que sojuzgaban a la sociedad española de aquel tiempo. Para ello hay que reconocer ante todo qué punto de vista de clase representaba el clásico español. En términos sociales o intelectuales, toda defensa y todo ataque de cualesquiera ideas responde en último término a un punto de vista de clase o de varias clases. Esto no quiere decir que esa clase sea siempre la del autor de esa defensa o ataque, aparte de que hay que distinguir por lo común entre origen de clase y pertenencia de clase. En el caso de Quevedo no hay que hacer esta última distinción, ya que pertenecía a la misma clase que sus padres, la pequeña y nueva nobleza burocrática del tiempo de los Austrias. En cambio, lo seguro, si examinamos obras como los *Sueños* atentamente, es que expresa la perspectiva de dos clases por lo menos. Principalmente, habla como miembro de la nobleza burocrática aburguesada; y podríamos decir que ésta es su limitación principal, si tal punto de partida no fuera a menudo desbordado. Es cierto que Quevedo muestra ante todo la contradicción entre esa pequeña aristocracia de origen burgués y la aristocracia de los grandes. Pero ese mismo carácter semi-burgués de su clase le hace coincidir a menudo con sus amigos pequeños burgueses, como Cervantes y Lope de Vega. Sin embargo esa coincidencia no se ve muy clara en los *Sueños;* es más patente en otros de los escritos quevedescos. Por otra parte, Neruda tiene razón al decir que Quevedo habla en nombre del pueblo, o de los pobres, como el gran clásico suele decir. Y esto sí que lo percibiremos en el texto de los *Sueños* muy clara y explícitamente. A este rasgo se debe sin duda una buena parte del carácter moderno o actual que Martí y Neruda han sabido ver en don Francisco.*

---

*. Parte del contenido de esta Introducción aparece publicada en otro trabajo mío: "La crítica social en *El alguacil endemoniado* de Quevedo", *Studia gratularia* (dedicados a Humberto Pinera, Editorial Playol, Madrid, 1979, pp. 89-96.

Análisis de los *Sueños*

Escribió Quevedo los primeros *Sueños* durante el período de mayor actividad de su carrera literaria, cuando se encontraba en la corte de Madrid, allá por los años 1606 al 1610. Más tarde hacia 1929, enmendó la redacción de estas obras al objeto de suprimir ciertos pasajes referentes o alusivos a las Escrituras, a la religión y a los eclesiásticos. En esta nueva redacción las alusiones cristianas fueron sustituidas por referencias paganas, para evitarse complicaciones.

En los *Sueños,* vemos en Quevedo al hombre joven que va contra el destino y lo combate. ¿Por qué lo satiriza todo? ¿Por qué ve de la realidad los más pequeños microbios que matan a la humanidad? Porque su tragedia es vivir fuera del tiempo y el espacio; hubiera querido ser hombre de un futuro glorioso para España, pero las circunstancias en que vive su patria son negativas y contrarias a su objetivo y por eso protesta y se revela contra la grandeza perdida, contra la decadencia presente, y con dolor vuelca su rebeldía en estas quimeras, en estas invenciones de su ingenio, que son sus *Sueños.* En ellos parece reflejar la vida cotidiana, pintar las costumbres cortesanas de la época, y, al hacerlo, lanza amargos reproches contra sus contemporáneos; a la par que fustiga los vicios del hombre, critica los de la sociedad. La crítica social amplia se personaliza en dos temas: la privanza que otorga el monarca y el mal gobierno del privado. Y así, don Francisco de Quevedo se nos muestra en sus *Sueños* como un exponente clásico de algunos aspectos de la vida de los españoles del siglo XVII e ingeniosamente nos presenta la situación desordenada, trágica y febril a que ha llegado la España de su época.

Algunos críticos piensan que no se puede aceptar la opinión de un autor satírico cuyo arte es la caricatura y la exageración grotesca como retrato verdadero de un país. Yo creo que sí se puede aceptar, como lo creen otros muchos críticos, entre ellos,

Humberto Piñera en su obra *El pensamiento español de los siglos XVI y XVII.*[12] La sátira caricaturesca ha sido siempre, por lo demás, una representación crítica de la sociedad coetánea. Desde los tiempos más remotos, sátiras fantásticas y caricaturescas como el *Roman de Renart,* son, según Barnes, "...vehículo de sentimientos antifeudales, anticaballerescos y anticlericales."[13] En el siglo XVI, Rabelais crea gigantes imposibles y cómicos, fantásticos y grotescos, y los usa "...To satirize systems of education, the law, and the ignorance, vice, and intolerance of the clergy":[14] y en tiempos modernos, obras fantásticas y grotescas como el *Gulliver* de Swift pueden ser descritas como "...a vicious satire which ranges through attacks on politicians, philosophers, scientists, soldiers and society women."[16] Quevedo no fue, pues, ni el primero ni el último en usar métodos grotescos y caricaturescos para pintar su sociedad a una luz crítica. Guiado por ese afán crítico, produce los *Sueños,* los que más que sueños son pesadillas por la forma en que se ve la sociedad en que vive el autor. Una sociedad que, en cierta forma, ha perdido la confianza en sí misma y se parece mucho al infierno que nos presenta Quevedo en sus *Sueños.* El escenario en casi toda esta obra es, precisamente, ese infierno, por lo cual, muchas veces, es casi imposible encontrar alguna virtud que alabar.

La idea de utilizar el sueño tiene sus antecedentes en escritores griegos y latinos como Luciano, Cicerón. Quevedo usa además, el *Fin del mundo y segunda venida de Cristo* (atribuído al beato Hipólito); la antigua visión de Filiberto, las *Cortes de la muerte,* de Luis Hurtado de Toledo; la *Tricomedia alegoría del Paraíso y el Infierno.*

Observamos en los *Sueños,* también, el influjo acusado del *Diálogo de Mercurio y Carón* de Alfonso de Valdés: del *Elogio de la locura* y *Los coloquios* de Erasmo. Al propio tiempo, vemos

---

[12] Las Americas Publishing, Co., New York, 1970, p. 228.

[13] *An Intellectual and Cultural History of the Western World,* Dover, New York, 1965, p. 452.

[14] *Ibid.,* pp. 600-601.

[16] Homer A. Watt and William W. Watt, *A Handbook of English, Literatura,* Barnes and Noble, New York, 1960, p. 274.

reminiscencias de la *Divina comedia* de Dante; de las *Danzas de la muerte,* medievales; de las tablas fantásticas del pintor holandés Jerónimo Bosch o Bosco; y de lo macabro de la pintura de Valdés Leal. Preceden, en lo literario, al estilo que acusa Goya en los *Caprichos.*

Quevedo utiliza el procedimiento del sueño por la ventaja que éste implica para el autor desde el punto de vista formal, pues no se necesita plan y el escritor puede extenderse o limitar la extensión de aquello que escribe.

Los *Sueños* siguen una larga tradición democrático-literaria de sátira popular contra la religión como instrumento ideológico de la opresión económico-social y política, tradición iniciada por Luciano en su *Diálogos de los muertos,* en que se burlaba del más allá demostrando con ironía que no era más que un trasunto del más acá. Varios autores del Siglo de Oro repitieron la hazaña de Luciano levantándose ahora no del más allá pagano, sino del cristiano, y combatiendo así al mismo tiempo el falso orden social y a su justificación ideológica religiosa. Quevedo se coloca en esta tradición democrático-literaria y se mofa al mismo tiempo de las profecías religiosas como el *Fin del mundo y segunda venida de Cristo* atribuído al beato Hipólito. Así con el pretexto de profecías religiosas tema constante de burla entre algunos escritores de la época, (en que altos eclesiásticos vivían muy ricamente fingiendo dones proféticos en la corte real) Quevedo hace una crítica implacable de la sociedad española de su tiempo.[16]

En 1631, bajo el título de *Juguetes de la niñez y travesuras del ingenio* se imprimen en Madrid las obras satírico-morales de Quevedo y en esta edición los nombres originales de los cuatro primeros *Sueños* aparecen suistituídos de la siguiente forma: *El sueño de las calaveras,* se denomina ahora *Sueño del Juicio Final;* el del *Alguacil endemoniado, Alguacil alguacilado;* se llamaron las *Zahurdas de Plutón,* los *Sueños del Infierno, El sueño del Infierno,* propiamente dicho y *El mundo por de dentro;* y el quinto el *Sueño de la muerte,* que adopta el nombre de *La visita de los chistes,* escrito después de los tumultuosos años de Italia, ve la luz en la Torre de Juan Abad, donde está confinado Quevedo, como su cárcel.

---

[16] J. Vicens Vives, *Historia social y económica de España y América,* Barcelona. Editorial Teide, 1957-1959, pp. 288-357.

Veamos ahora a través del examen de los *Sueños* cómo se manifiesta su autor, el rebelde Quevedo, al ofrecernos con un estilo retórico que hoy calificaríamos de "tremendista" y con la noble pasión intelectual que le llevó a defender la justicia y el derecho, la visión cómica, casi grotesca, desde el punto de vista formal, de la sociedad de su tiempo, pero en el fondo de lo cómico-grotesco vislumbramos al Quevedo que no se detiene ni aún antes las cosas consideradas sagradas, para señalar las características de esa sociedad con la cual él está en contradicción.

El primero de los *Sueños, El Sueño del Juicio Final (El sueño de las calaveras)*, lo escribe hacia 1606 y lo dedica al Conde de Lemos, Presidente de Indias. Desde las primeras palabras de esta dedicatoria vemos cual es el propósito de Quevedo al escribir los *Sueños:* "proclamar la verdad". "A manos de V. Excelencia van estas verdades desnudas, que buscan no quien las vista, sino quien las consienta.[17]

La mayor parte del *Sueño del Juicio Final* está dedicada a describir la actitud de los hombres en el instante de recuperar sus cuerpos y luego se refiere a las argucias de que se valen para disculparse. Busca en el infierno todos los vicios, engaños y abusos de la sociedad en que vive, y en él retrata y alude a los personajes más destacados. Los justos apenas se nombran, en cambio la actitud de los pecadores y condenados se describe con lujo de detalles, pues, para ellos hay un infierno.

Satiriza en este *Sueño* la vanagloria de los soldados y capitanes que no saben pensar más que en lo que hacen comunmente y al oír el "son" creen ellos que es una llamada a la guerra.

La Iglesia Católica le inspira francas críticas como ésta, que en su día fue suprimida por la censura:

...acudieron a ellos más de mil calóndrigos, no pocos racioneros, sacristanes y dominguillos, y hasta un obispo, un arzobispo y un inquisidor, trinidad profana y profana-

---

[17] Francisco de Quevedo y Villegas, *Obras completas,* Tomo I, Aguilar, Madrid, 1969, p. 124.

dora que se arañaba por arrebatarse una buena conciencia que acaso andaba por allí distraída buscando a quien bien le viniese.[18]

Parece burlarse del poder distributivo de la justicia divina: "... admiróme la Providencia de Dios en que, estando barajados unos con otros, nadie por yerro de cuenta se ponía las piernas, ni los miembros de los vecinos."[19]

Creemos, ver en estas palabras irreverentes una mofa del dogma de la resurreción de la carne. Quizás, pueda establecerse un contraste entre la complejidad de la sociedad moderna, en que todos los materiales deben ser clasificados y a menudo se cometen errores y se confunden las partes que debían corresponderse. Luego nos parece que las creencias antiguas que la sociedad dice profesar, en cierta forma, son insostenibles en el mundo moderno.

El sueño del Juicio Final, eminentemente plástico, tiene la cualidad de visualizar ante el lector lo que va ocurriendo, pues, el autor usa con mucha frecuencia el verbo "ver" para demostrar que ha visto lo que narra: la realidad, deformada artísticamente, de la sociedad que pinta. En los *Sueños,* el lector no tiene contacto directo con el mundo procedente de la realidad o de la fantasía que aparece en ellos, sino que lo conoce a través de persona interpuesta: el soñador que, lo presenta a través del sueño-desvelo, con una técnica muy moderna. Quizás, por ello, estén ausentes del *Sueño del Juicio Final* los elementos cromáticos, pues el negro y las referencias a las sombras que aparecen frecuentemente en este *Sueño* pudieran ser, en parte, reflejos de la situación ambiente.

Los personajes que vemos en el *Sueño del Juicio Final* y en los demás *Sueños,* no son alegorías del más allá, sino seres inmanentes. Pero luego, ¿hay dos infiernos para Quevedo, el mundo en que vive y el que tradicionalmente se considera que existe en un más allá? Quevedo en este asunto tan complicado nos guía una vez terminado el Juicio Final y levantado el tribunal de Dios:

Huyeron las sombras a su lugar, quedó el aire con nuevo aliento, floreció la tierra, rióse el cielo y Cristo subió

---

[18] Ob. cit. p. 127.
[19] *Ibid.,* p. 126.

consigo a descansar en los dichosos, por su pasión. Y yo me quedé en el valle discurriendo por él, oí mucho ruido y quejas en la tierra.

Llégueme por ver lo que había y vi en una cueva honda (garganta del Averno) penar muchos y entre otros un letrado removiendo no tanto leyes como caldos y un escribano conociendo sólo letras que no había querido leer en esta vida. Todos ajuares del infierno: las ropas y tocados de los condenados estaban allí prendidos, en vez de clavos y alfileres, con alguaciles; un avariento contando más duelos que dineros; un médico pensando en un orinal, y un boticario en una melecina.

Dióme tanta risa ver esto, que me despertaron las carcajadas; y fue mucho quedar de tan triste sueño más alegre que espantado.[20]

Como vemos, una vez llegado el Juicio Final, Quevedo sigue viendo en la tierra la gente que vive y actúa igual o peor que la que vio en el infierno.

Hay críticos que sostienen que Quevedo, al que atribuyen una ortodoxia indiscutible, creyó en un infierno metafísico en el más allá, pero el infierno que aparece en los *Sueños* no es ése, sino otro muy distinto: este mundo con sus abusos, vicios y lamentables maldades; una parte de España y la verdad de la vida española en la corte de Felipe IV.

La primera parte del *Sueño* que estudiamos es casi totalmente descriptiva. No existe el diálogo y si alguien habla es para caracterizarse o caracterizar a otro. El lenguaje empleado es apretadamente ingenioso y la burla es llevada al extremo: Los objetos de la sátira quevedesca aparecen saliendo como monstruos de sus tumbas y don Francisco de Quevedo se divierte al pintar la descomposición del hombre, en sus partes, mediante una técnica disociativa, en que la parte se separa del todo:

Riérame, si no me lastimara a otra parte el afán con que una gran chusma de escribanos andaban huyendo de sus orejas, deseando no las llevar, por no oír lo que

---

[20] *Ibid.,* pp. 131-132.

esperaban;... lo más que me espantó fue ver los cuerpos de dos o tres mercaderes que se habían calzado las almas al revés, y tenían todos los cinco sentidos en las uñas de la mano derecha.[21]

En la segunda parte vemos entremezclarse los diálogos de los diablos acusadores y los angeles defensores, que ya no tienen el estilo caracterizador, sino que son rápidos diálogos de acusación y defensa.

La técnica narrativa utilizada por Quevedo en este *Sueño* recuerda la de un guión cinematográfico por la rapidez descriptiva con la que se subraya lo esencial, sin concederle atención al detalle superfluo, y la combinación de diálogo o esbozo de él con la descripción breve del personaje que habla:

Uno de los sastres, pequeño de cuerpo, redondo de cara, malas barbas y peores hechos, no hacía sino decir:
-¿Qué pude hurtar yo, si andaba siempre muriéndome de hambre?
Y los otros decían (viendo que negaba haber sido ladrón) que cosa era despreciarse del oficio.[22]

Pese a esa brevedad y rapidez inicial al final del *Sueño* notamos cierta tendencia a la expansión lenta. Los condenados permanecen más tiempo en la escena. Dialogan y actúan más como en los casos de "unos despenseros a cuenta", "el malaventurado pastelero", "los tres o cuatro ginoveses ricos", "el hidalgo", "el sacristán", que representan como una pequeña comedia: con su personaje, sus parlamentos y sus gestos.[23]

Esta tendencia a la expansión se acentúa de modo notable en los restantes *Sueños* y debido a ella la técnica del relato se hace más compleja y lenta. Como ejemplo de ello podríamos citar el

---

[21] *Ibid.*, p. 126.
[22] *Ibid.*, p. 127.
[23] *Ibid.*, pp. 128-131.

caso del hidalgo que aparece en este *Sueño*[24] y en *El Sueño del Infierno,*[25] el personaje es el mismo, se le enfoca desde el mismo punto de vista, pero el episodio en el primero de los *Sueños* es esquemático mientras que en el otro *Sueño* adquiere gran longitud, las características del personaje se amplían, se describen más detalladamente sus vestidos, sus razonamientos son más largos, al igual que el de los diablos.

El tono predominante en éste y en los demás *Sueños,* es el propio del chiste gracioso, pues, el autor quiere dulcificar, para evadir la censura, la amarga y paliativa medicina con el decir agudo e ingenioso, jugando con la pluralidad de significados de los vocablos, como ya hemos dicho. Los juegos polisémicos son siempre al mismo tiempo críticos. Esto se revela por todas partes, y especialmente en los muchos lugares en que el autor prefiere olvidar el respeto a ciertos conceptos cristianos que le habían inculcado desde niño.

El alguacil endemoniado y el *Licenciado Calabrés (alguacil alguacilado)* es el segundo de los sueños de Quevedo. Escribe el discurso en 1607 y lo dedica al Conde de Lemos, presidente de Indias. Sin embargo en los manuscritos coetáneos este *Sueño* aparece dirigido al marqués de Villanueva del Fresno y Barcarrota, señor de Moguer. Años más tarde Quevedo cambia la dedicatoria dirigiéndola "A un amigo", ignorándose quien es el amigo.

Quevedo comienza el *Sueño,* diciéndonos:

Fue el caso que entré en San Pedro a buscar al licenciado Calabrés, Clérigo de bonete de tres altos hecho a modo de medio celemín; orillo por ceñidor, y no muy apretado; puños de Corinto, asomos de camisa por cuello, rosario en mano, disciplina en cinto, zapato grande y de ramplón, y oreja sorda derribado el cuello al hombro como buen tirador que apunta al blanco (mayormente si es blanco de Méjico o de Segovia); los ojos bajos y muy clavados en el suelo, como el que cudicioso busca en él cuartos, y los pensamientos tiples; color a partes hendida y a partes

---

[24] *Ibid.,* pp. 130-131.

[25] *Ibid.,* pp. 148-149.

55

quebrada; tardón en la misa y abreviador en la mesa; gran cazador de diablos, y tanto que sustentaba el cuerpo a puros espíritus. Entendíasele de ensalmar, haciendo al bendecir unas cruces mayores que las de los mal casados. Traía en la capa remiendos sobre sano; hacía del desaliño santidad, contaba revelaciones y si se cuidaban al creerle hacía milagros ¿qué me canso? Este señor era de los que Cristo llamó sepulcros hermosos, y por de fuera blanquea-dos y llenos de molduras, y por de dentro pudrición y gusano, fingiendo en lo exterior honestidad, siendo en lo interior del alma disoluto y de muy ancha y rasgada conciencia. Era en buen romance "hipócrita", embeleco vivo, mentira con alma y fábula con voz. Hállele en la sacristía sólo con un hombre que, atadas las manos en el cíngulo y puesta la estola, descompuestamente daba voces con frenéticos movimientos.

—¿Qué es esto? —le pregunté espantado.
Respondióme:
—Un hombre endemoniado.
Y al punto el espíritu que en él tiranizaba la posesión de Dios respondió:
—No es hombre, sino alguacil. Mirad como habláis que en la pregunta del uno y en la respuesta del otro se ve que sabéis poco. Y se ha de advertir que los diablos en los alguaciles estamos con fuerza y de mala gana, por lo cual, si queréis acertarme, debéis llamarme a mí demonio enalguacilado y no a éste alguacil endemo-niado; y avenisos mejor los hombres con nosotros que con ellos cuanto no se pueden encarecer, pues nosotros huímos de la cruz y ellos la toman por instrumento para hacer mal. ¿Quién podrá negar que demonios y alguaciles no tenemos un mismo oficio.[26]

En ésta la más fuerte de sus obras satíricas, Quevedo, repetimos, ha fingido la capacidad de tener sueños proféticos, no sólo para hacer burla de ese don con que algunos religiosos vivían en la corte de Madrid (adonde el rey, nobleza y gobierno acababan de trasladarse), sino también para que la imaginación ridícula permitiese que la censura pasase la obra, que en efecto, después

---

[26] *El alguacil endemoniado, Obras completas,* pp. 133-134.

de dificultades durante varios años, vio la luz en 1627. En el texto que acabamos de presentar Quevedo se dirige contra algunos de los miembros representativos de los dos sectores que regían la sociedad española del siglo XVII: la Iglesia y el poder armado del Estado, representado en ese *Sueño* por el alguacil.

Sabemos que al describir al "licenciado Calabrés", el escritor se ha basado en la figura auténtica de su propio confesor, Genaro Andreini, capellán del Conde de Lemos, que "asistía" (como se decía en la época) a la parroquia de San Pedro el Real de la Corte, y había venido a España en peregrinación —según él pretextaba— a visitar el sepulcro del Apóstol Santiago. Tenía fama de gran exorcista, y aquí lo vemos, muy curiosamente, tratando de exorcizar al demonio que ha tomado posesión de un alguacil pero que desea a toda costa salir de tan mala compañía porque el alguacil es peor que él. El endemoniado, nos dice Quevedo, no es hombre sino alguacil, peor por tanto que un demonio. ¿Qué busca Quevedo con este ataque a la hipocresía de algunas de las autoridades religiosas y a la perversidad de otras autoridades del Estado? ¿Se trata simplemente de un tipo de humor, de una disposición temperamental a ver las cosas de la vida en general a una luz crítica y ridícula e incluso más ridícula que crítica, como quieren que creamos la mayor parte de los eruditos que han comentado los *Sueños* de Quevedo?

¿Son los *Sueños* "obra altamente moral y católica", como nos dice Astrana Marín.[27]

Para resolver esta cuestión hemos de decidir si se critican solamente males parciales, si Quevedo se defendía solamente contra sus enemigos personales, si condenaba solamente los elementos de creciente decadencia de la monarquía austriaca. O si por el contrario denunciaba al Estado y las fuerzas rectoras de la España coetánea desde el origen de los Austrias, de modo que el alguacil endiablado y el sacerdote milagrero representan en realidad mucho más que tipos particulares. El texto del mismo *Sueño* debe aclararnos la disyuntiva que hemos planteado, y en efecto lo hace, pues dice:

—¿Hay reyes en el infierno? —le pregunté yo.

Y satisfizo a mi duda diciendo:

---

[27] Luis Astrana Marín, *La vida turbulenta de Quevedo*, Editorial Gran Capitán, Madrid, 1945, p. 144.

—Todo el infierno es figuras, y hay muchos, porque el poder, libertad y mando les hace sacar las virtudes de su medio, y llegan los vicios a su extremo; y viéndose en la suma reverencia de sus vasallos y con la grandeza opuestos a dioses, quieren valer punto menos y parecerlo; y tienen muchos caminos para condenarse, y muchos que lo ayudan, porque uno se condena por la crueldad, y matando y destruyendo, es una grandeza coronada de vicios de sus vasallos y suyos y una peste real de sus reinos; otros se pierden por la codicia, haciendo almacenes de sus villas y ciudades a fuerza de grandes pechos, que en vez de criar desustancian; y otros se van al infierno por terceras personas y se condenan por poderes, fiándose de infames ministros.[28]

Y después de otras filípicas contra los reyes y sus privados, Quevedo hace un ataque sangriento contra Felipe II y el Cardenal Espinosa, en su lucha contra don Carlos y en referencia con la reina Isabel, todo ello suprimido en su día por la censura.

Si en el infierno no hay pobres, puesto que éstos nada poseen, ni siquiera vicios, mientras que van a él los reyes, tanto de ayer como de hoy, a causa de su mal gobierno y el de sus privados y consejeros, aristocráticos y eclesiásticos, es evidente que la sátira de Quevedo no es meramente temperamental, ni parcial, ni inspirada solamente en la moral cristiana básicamente, sino en el aspecto socio-político. Ahora bien, en cuanto a esto ¿a favor de quién y en contra de quién está Quevedo?

Quevedo no era, como su amigo Cervantes, un pequeño burgués empobrecido y miserable, ni como su amigo Lope de Vega, un pequeño burgués acomodado por los servicios a la nobleza de los grandes. Por su origen y por su desarrollo, Quevedo, pertenecía a la pequeña nueva nobleza burocrática, a lo que los franceses llamaban "nobleza de toga". Está evidentemente, con el Duque de Osuna, con la facción aventurera de la aristocracia que trata de luchar con osadía contra la decadencia española. Pero ciertamente esto lo opone a la mayoría de la aristocracia reinante y por lo tanto a sus instrumentos la realeza y las fuerzas y autoridades del Estado. Castellanista por origen e

---

[28] *El alguacil endemoniado, Obras completas*, p. 137.

intereses, asume una posición reaccionaria ante la revuelta de Cataluña, y, como noble, el crecimiento de la clase de los mercaderes ricos y astutos le produce un resentimiento invencible, como vemos en este mismo *Sueño*.

Pero sería muy equivocado, por causa de estos elementos reaccionarios relativos en su personalidad e ideología, hacer de Quevedo simplemente un reaccionario y nada más. Mucho más se acerca a la verdad la posición de los liberales del siglo pasado al hacer de Quevedo un rebelde liberal antes de tiempo. Ésta no es toda la verdad, por cierto, pero es el aspecto predominante de su posición. Quevedo no dirige su sátira contra todo el mundo, como se suele hacer creer. Si en ese sueño habla mal de "enamorados" o de "poetas" es porque tiene que disimular: su crítica principal va dirigida contra el rey, contra las autoridades civiles u "oficiales", contra ciertas autoridades eclesiásticas, contra "alguaciles" y "corchetes", contra el corrompido sistema de justicia: "jueces", "escribanos", "procuradores", "relatores", etc. Su concepto de la pobreza es, claro está, utópico: el pueblo no está claramente analizado en cuanto a clase social, sino que constituye una abstracción demasiado general en que se le describe por su carencia de bienes sin referencia a su trabajo; pero parece que Quevedo habla en su nombre, que quiere defender a ese pueblo contra la injusticia. Quevedo no ataca nunca las bases mismas de esa sociedad. Todas sus críticas se dirigen contra su funcionamiento bárbaro y cruel, egoísta e inhumano.

Quevedo no muestra, como Cervantes, que la sociedad del aristocratismo mercantilista es injusta por necesidad y de raíz; ni incita al pueblo a la rebelión colectiva como Lope de Vega en *Fuenteovejuna*, él no era tan radical como sus amigos pequeños burgueses; pero no sería tan amigo de ambos —incluso después que sus diferencias de fortuna los han enemistado entre sí— si no compartiera con ellos la creencia firme en la revolución burguesa.

La debilidad de la estructura de clases en los inicios de la España moderna, a la vez que ponía dificultades en la clara definición del pueblo pobre como pueblo trabajador (Lope y todavía más Cervantes superarán en parte esa dificultad), impedía tal progreso de la revolución burguesa que permitiese una alianza temporal de burguesía y pueblo, y Quevedo demuestra tener conciencia de la barrera que los separaba, lo cual si bien lo empuja a la tendencia del "anarquismo señorial", lo convierte también (junto con Cervantes, Lope y muchos otros) en precursor del radicalismo moderno que hace hincapié en la contradicción entre pueblo y burguesía. A diferencia de Lope o Cervantes, este noble de toga no sabe ver al pueblo de modo concreto ("el pobre" de este *Sueño* es una abstracción generalísima) o lo ve con cierto distanciamiento como en *El Buscón,* pero los textos, creemos que no dejan duda sobre de qué lado estaba Quevedo en última instancia en la luchas de su sociedad. Quevedo, menos revolucionario que Cervantes o Lope, en su crítica de los males sociales, tiene solamente un credo reformador: lo que Quevedo quiere es que la cultura y los cargos puedan estar al alcance de los hijos de labradores y de villanos y que a los caballeros que tienen oficios (cargos públicos) se les exija honradez verdadera *(Sueño del Infierno)* que España deje de salir a guerrear, "...a robar oro o a inquietar los pueblos apartados" (Ibid.), que haya una redistribución de la riqueza (por ejemplo, *El Sueño del Infierno* pinta a "...los ricos tras su riqueza, los pobres pidiendo a los ricos lo que Dios les quitó"), el fin del "odio de los poderosos" *(Sueño de la Muerte)*, el fin del sistema en que los metales de las Indias salen inmediatamente para Génova y Francia (Ibid.), y, en todos los *Sueños,* la instauración de una vida honrada y el abandono de las falsas presunciones y apariencias. Este programa de reformas no es tan radical como el de otros escritores de la época, pero evidentemente es avanzado y está hecho, a nuestro juicio, en nombre del pueblo, de modo sincero y vital, por mucho que podamos cuestionar el conocimiento que del pueblo trabajador tenía este escritor noble de bajo nivel social que se unía con su rebeldía a la causa de "la oposición política bajo los Austrias."[29]

Quevedo, como noble de nivel inferior, como hombre de ciudad, vio en el pueblo español, sobre todo, la condición de masa trabajadora pobre y desmoralizada como consecuencia de las derrotas de 1519-1524, de otras luchas subsiguientes y de la marcha general de la sociedad española de la época imperial, dirigida por la aristocracia semifeudal de los grandes. El retrato abstracto de los pobres en general en los *Sueños* se complementa con el retrato concreto de la magnífica creación literaria del protagonista de *El Buscón.* Cervantes y Lope de Vega habían

---

[29] José A Maravall, *La oposición política bajo los Austrias,* Barcelona, Ediciones Ariel, 1972.

sabido pintar la vida del trabajador campesino; Velázquez (en cuadros como *La fragua de Vulcano* y *Las hilanderas)* había sabido pintar los obreros de los nuevos talleres ciudadanos. Aunque Quevedo miraba el futuro, no podía ser tan progresista como estos otros artistas, descubriendo en los fracasos del presente algo de las semillas del porvenir. Pero también la tarea crítica, la visión implacable de los males actuales, es una importante contribución artística a las tareas de los tiempos venideros.

Continúa Quevedo soñando y en *El sueño del infierno (Las zahurdas de Plutón)*, se adentra en las regiones ultraterrenas donde trata con afán de hurgar y en su labor inquisitiva se encuentra en un momento dado, con un demonio, pero él no se siente agobiado, por el contrario, esta compañía le es grata y se pone a dialogar con este singular personaje, del cual obtiene gran provecho. Con entusiasmo escucha en los términos en que Satanás se expresa de los hombres a los que califica de estúpidos, grotescos, engreídos; siempre van en pos de la vanidad, el placer, el poder y el dinero y una vez obtenido lo que desean, se sienten cansados y hastiados.

La primera de las víctimas de Satanás es la sociedad española, a la que pinta cruelmente. En ella nadie escapa de la enconada sátira del diablo, y los que parecen llevar la peor parte son los miembros del clero y las clases sociales elevadas, mientras que los pobres y los soldados son perdonados. El diablo los censura a todos porque está expresando los pensamientos más íntimos de Quevedo.

El infierno quevedesco es distinto al infierno tradicional dentro de la literatura: es oscuro, triste y melancólico a la par que es cómico, y esto es lo que lo hace diferente ideológica y formalmente. En apariencia es ilógico, pues en él se encuentran los condenados sufriendo los más horribles castigos entre juegos ociosos y con gran regocijo. Entre los condenados figuran reyes, validos, obispos, arzobispos, filósofos, judíos, herejes, etc. También aparecen abstracciones personificadas; tales como, la muerte, las desgracias, la peste, la pesadumbre; todas ellas son los voceros de las ideas políticas y sociales de Quevedo. En este infierno, se da por descontado que no encontraremos ni la Justicia, ni la Verdad, la una por desnuda y la otra por rigurosa.

El infierno quevediano se parece mucho al mundo en que vive Quevedo y el paralelo entre ambos es cada vez más evidente: en el infierno, al igual que en la tierra, el amancebamiento es llamado amistad; la usura, trato; la valentía, desvergüenza. Es un lugar de hipócritas, como en la tierra, en que todos pretenden ser lo que no son y viven en el más allá y en el más acá, engañándose a sí y a los otros. El concebir este paralelo, no es más que el medio que usa el autor para criticar la organización político-social existente en su patria.

Quevedo se recrea en el castigo a la sociedad de la época, es cierto, que dentro de ella castiga a los gremios menores de trabajadores: zapateros, pasteleros, sastres, etc., pero se ensaña, particularmente, en el castigo a los alguaciles, los profesionales y las clases altas de la sociedad.

Notemos algo sobre la perspectiva del relato en *El sueño del infierno*, en el cual observamos una contradicción de importancia que parece alterar el enfoque seguido anteriormente. En la primera parte dice Quevedo que al elegir mal el camino, éste lo llevó al infierno, donde todos se lamentaban de estar en él y el autor comenta:

¿En el infierno? —dije yo muy afligido:— no puede ser. Y quíselo poner a pleito. Comencéme a lamentar de las cosas que dejaba en el mundo: los parientes, los amigos, los conocidos, las damas. Y estando llorando esto, volví la cara hacia el mundo, y vi venir por el mismo camino, despeñándose a todo correr, cuando había conocido allá poco menos.[30]

Quevedo entra en el infierno, le preguntan su nombre, lo anotan los siete demonios que estaban a la entrada, y el autor pasa a formar parte del infierno como un condenado más. Pero al visitar las distintas dependencias y pasadizos del infierno hace preguntas a todos lo que encuentra y actúa como un Señor que las visita, como un espectador. Impresión que vemos confirmada al acercarse adonde estaba Lucifer: se llega a Quevedo el portero y le dice: "—Lucifer manda que, porque tengáis que contar en el otro mundo, que veáis su camarín."[31] Varía pues la orientación inicial del *Sueño*, el autor de condenado se convierte en especta-

---

[30] *El sueño del infierno, Obras completas,* p.144

[31] *Ob. cit.,* p. 162.

tador censor que mira, juzga, zahiere y se burla de los condenados y luego en mensajero de Lucifer. Considera el infierno desde adentro: como condenado primero y como espectador-censor después. Esta última actitud, consecuente con el carácter de sátira social de estas obras, es la que se mantiene en los otros *Sueños.* —

Quevedo aparece constantemente asociado al estoicismo. Las citas de Séneca el filósofo estoico, aparecen usadas frecuentemente por Quevedo. En el Prólogo -"A quien leyere"— de *Marco Bruto,* Quevedo dice que ha traducido y anotado noventa epístolas de Séneca (de las que sólo se conservan once). Además, comentó y escribió otras epístolas siguiendo a Séneca, al que don Francisco llama "mi Séneca", "nuestro Séneca".

En *El discurso de todos los diablos o infierno enmendado,* entre otros personajes, aparece Séneca proponiendo el ideal de vida estoica. El estoicismo de Quevedo parece amargo, pesimista y muy particular quizás debido a sus experiencias personales y a su filosofía de la vida.

Entre otras obras de Quevedo de contenido estoico podemos citar: *Epicteto y Focílides en español con consonante y Origen de los estoicos, y la defensa de Epicuro contra la común opinión,* donde mantiene la tesis del origen bíblico de los estoicos. También son de contenido estoico los Capítulos I al IV de su obra *La cuna y la sepultura,* según declara el propio autor en el Proemio de esta obra: "...me he valido en los cuatro primeros capítulos de la doctrina de los estoicos."[32]

En la adhesión de Quevedo al estoicismo, sobre todo al de Epicteto, quizás se pueda observar un rasgo de su rebeldía e inconformismo, porque el estoicismo antiguo representó la protesta pasiva, de los oprimidos de Grecia y Roma contra la esclavitud. (Séneca es un caso especial, menos claro).

Quevedo tradujo a Séneca y a Epicteto, pero en su introducción a las cartas de Séneca lo contrapone a Epicteto y se muestra en favor de este último. Eso es importante, porque aunque en Séneca hay una protesta social, no es tan fuerte ni decidida en favor de los oprimidos. Séneca pertenecía a las clases superiores romanas, fue profesional (abogado) y amasó una gran fortuna; mientras que Epicteto fue esclavo (y luego liberto). A

---

[32] *La cuna y la sepultura, Obras completas,* p. 1191.

pesar de su nobleza y riqueza, Séneca era un inconformista y relativamente progresista y liberal para su época[33], lo que le puso

---

[33] —Hablando de la época de Nerón cuando comenzó a gobernar y se aconsejaba de Séneca y Burro, dice V. Diakov: "Por cierto que, teniendo en cuenta el buen funcionamiento del aparato gubernamental y el hecho de que Nerón no se mezclaba para nada en los asuntos de Estado, los cinco primero años de su reinado fueron llamados más tarde el feliz "quinquennium Neronis" (54-59)". *Roma,* Grijalbo, México, 1966, p. 321. Y continúa Diakov: "Pero el "quinquennium Neronis" acabó aproximadamente por esta época, para dejar paso a un período de ocho años de arbitrariedad y caos administrativo". *Ob. cit,* p. 322. (Nerón mató a su madre) "poco después de esta revolución palaciega murió Burro (quizás envenenado) y Séneca y varios de los libertos de Claudio que dirigían con competencia diversos departamentos fueron separados de sus funciones y reemplazados por favoritos más dóciles y complacientes." *Ibid.,* p. 323. En su libro *From the Gracchi to Nero,* Methuen, London, 1965, p. 317, su autor H.H. Scullard escribe: *The Administration of Seneca and Burrus.* "During these years the general administration was good". "They aimed... at promoting the wellbeing of the Empire, and not least its economic prosperity. (Later) "the greater freedom that the Senate had enjoyed thanks to Seneca in the early part of the reign was now lost, and Nero was being corrupted by unblidled power". *Ob. Cit.,* p. 319.

Por su parte Moses Hadas en su estudio de Séneca intitulado *The Stoic Philosophy of Seneca,* introductory study and edition of works by Moses Hadas, Norton, New York, 1958, pp. 6-7, nos declara "Nero succeeded in 54, and the beneficient adminsitration of the first five years of his reign is attributed to the tutelage of Burrus and especially of Seneca, who was now of consular rank and virtually prime minister."

En la sociedad esclavista, en la que Aristóteles había declarado que el esclavo era un ser inferior por naturaleza, Séneca escribió un tratado en defensa del trato humanitario a los esclavos, *De clementis,* insistiendo en la igualdad de los esclavos y los hombres libres como seres físicos y humanos.

Con todo esto no quiero decir que Séneca no tuviera defectos, que no hubiese cometido actos indignos, o que no haya contradicciones inquietantes entre su doctrina y su vida de hombre rico y favorecido por los altos cargos.

64

en conflicto con el emperador Claudio, que lo desterró, y luego con su discípulo el emperador Nerón, que lo obligó a suicidarse. Epicteto que había sido esclavo, fue más radical. Donde Séneca habla de la necesidad que tiene el hombre de sufrir desgracias, Epicteto habla de la necesidad que tiene el esclavo de fortaleza de ánimo. Es decir, Séneca está hablando, bajo capa de un hombre abstracto, sin clase, del miembro de las capas superiores de la sociedad romana que por sus creencias relativamente democráticas tenía que enfrentarse con el poder tiránico; mientras que Epicteto atacaba la misma estructura económica en la sociedad esclavista.

Quevedo simpatiza con los dos grandes estoicos romanos. Por nacimiento y clase, su posición es parecida a la de Séneca, pero la crisis española de su tiempo es más grave que la de Roma en el primer siglo de nuestra era, y eso fuerza a Quevedo a adoptar actitudes más radicales, más cercanas a la tradición de Epicteto. Tanto es así que Quevedo descubre el carácter progresivo del epicureísmo y lo defiende junto con su defensa del estoicismo: en el fondo estas dos filosofías fueron dos formas fundamentales del materialismo antiguo en tiempos de decadencia, y Quevedo parece adherirse con entusiasmo crítico a ambas doctrinas a la vez, el epicureísmo y el estoicismo, demostrando la grandeza filosófica y moral de ambas tendencias.

Algunos críticos de Quevedo discrepan de nuestra opinión y consideran que es imposible llamar a Quevedo escéptico, basándonos en que don Francisco supo discernir lo propio de lo impropio, que creía en Dios y en Cristo con una fe ciega. Pero, pese a ello, nosotros estimamos que Quevedo se inscribió en la tradición de Séneca y Epicteto, y por eso sufrió persecución, como la habían sufrido Séneca y Epicteto, uno desterrado por Claudio y el otro por Domiciano. Esto explica el "ascetismo" de Quevedo: su traducción del *Libro de Job,* su estudio del estoicismo de varios santos ascéticos cristianos.

Ahora bien, la principal diferencia entre estoicismo y cristianismo reside en el materialismo y nominalismo de los estoicos, que no tiene nada de cristiano, y Quevedo en esta disyuntiva, se decide por el estoicismo y no por el ascetismo bíblico o cristiano, pues el escritor español fue claramente materialista y, huyendo de verdades generales meramente teóricas, o utópicas, espirituales, se adhirió a un nominalismo (expresado en parte como "conceptismo") que niega los universales teológicos y afirma la concretez individual de los seres materiales, como vemos en los *Sueños,* en que todo es mundano y nada espiritual.

Ahondando en nuestra opinión, diremos que en la *Política de Dios y gobierno de Cristo* Quevedo manifiesta su orgullo racial por el filósofo cordobés, Séneca y hace comparaciones entre éste y Sócrates. Por último podríamos citar las palabras del propio Quevedo que, a nuestro juicio, constituyen una declaración al efecto:

Yo no tengo suficiencia de estoico, mas tengo afición a los estoicos. Háme asistido su doctrina por guía en las dudas, por consuelo en los trabajos, por defensa en las persecuciones, que tanta parte han poseído de mi vida. Yo he tenido su doctrina por estudio continuo; yo no sé si ella ha tenido en mí buen estudiante.[34]

Siguiendo la doctrina estoica de Séneca el hombre lleva dentro de sí el germen del bien y del mal. Pascal lleva esta distinción al límite y apunta en el hombre una naturaleza buena y otra mala. (A estas naturalezas las llama Quevedo sentencias).

Quevedo nos describe de manera descarnada la parte viciosa del hombre, pero al propio tiempo nos dice que una característica de éste es cuando tiene un vicio y se da cuenta de ese vicio, en ese momento dejó de ser vicio para pasar a ser pecado. Luego, el pecado es una desviación de lo que es el hombre, es un alejamiento de su destino que lo lanza al infierno, que simboliza para Quevedo una existencia falsificada. El hombre, para él, rechaza el pecado más que por fe por arrepentimiento, por hastío: "He sido malo por muchos caminos; y habiendo dejado de ser malo, no soy bueno, porque he dejado el mal de cansado, y no de arrepentido."[35] En este punto básico Quevedo se finge escolástico, pues sostiene que quien peca es la voluntad y así en *El mundo por de*

---

[34] *Nombre, origen, intento, recomendación y descendencia de la doctrina estoica, Obras completas,* p. 978.

[35] *Carta CXXIX a doña Inés de Zúñiga y Fonseca, condesa de Olivares, Obras completas,* p. 1820.

dentro nos dice: "... confiesas ... con los filósofos y teólogos la voluntad apetece lo malo debajo de razón y bien."[36]

Reafirma la doctrina de que no hay que aborrecer el pecado, y estima que el mayor de todos los pecados es el suicidio. Para Quevedo el suicidio es algo inaudito, tanto que no lo considera compatible con el ser hombre. Solamente admite que es humanamente posible por miedo a la muerte, pero es absurdo: "Matarse por no morir es ser igualmente necio y cobarde. Es la acción más infame del entendimiento."[37]

Como se ha visto, Quevedo niega el suicidio y en esto se aparta de Séneca y Marcial, pero al negarlo arguye que no es cierto que el suicidio sea connatural a la doctrina estoica (Epicteto lo reprobó), sino a la doctrina de algunos estoicos.

En la dedicatoria: "Al lector" del cuarto de sus *Sueños, El mundo por de dentro,* escrito en 1612 y publicado en 1627, dice Quevedo:

Es cosa averiguada, así lo siente Metrodoro Chío y otros muchos, que no se sabe nada y que todos son ignorantes. Y aun esto no se sabe de cierto: que, a saberse, ya se supiera algo; sospéchase. Dícelo así el doctísimo Francisco Sánchez, médico y filósofo, en su libro cuyo título 'Nihil Scitur'. No se sabe nada. En el mundo hay algunos que no saben nada y estudian para saber, y éstos tienen buenos deseos y vano ejercicio: porque, al cabo, sólo les sirve el estudio de conocer cómo toda la verdad la quedan ignorando. Otros hay que no saben nada y no estudian, porque piensan que lo saben todo. Son destos muchos irremediables. A éstos se les ha de envidiar el ocio y la satisfacción y llorarles el seso. Otros hay que no saben nada, y dicen que no saben nada porque piensan que saben algo de verdad, pues lo que es, no saben nada, y a éstos se le había de castigar la hipocresía con creerles la confesión. Otros hay, en éstos, que son los peores, entro yo, que no saben nada, ni quieren saber nada, ni creen que se sepa

---

[36] *El mundo por de dentro, Obras completas,* p. 166.

[37] *Marco Bruto, Obras completas,* p. 854.

nada y dicen de todos que no saben nada y todos dicen de ellos lo mismo y nadie miente. Y como gente que en cosas de letras y ciencias no tienen que perder, tampoco se atreven a imprimir y sacar a luz todo cuanto sueñan. Éstos, dan que hacer a las imprentas, sustentan a los libreros, gastan a los curiosos y, al cabo, sirven a las especierías. Yo, pues, como uno destos y no de los peores ignorantes, no contento con haber soñado el Juicio ni haber endemoniado un alguacil, y últimamente escrito el Infierno, ahora salgo (sin ton ni son; pero no importa, que esto no es bailar), con el 'Mundo por de dentro'. Si te agradare y pareciere tan bien, agradécelo a lo poco que sabes, pues de tan mala cosa te contentas. Y si te pareciere malo, culpa mi ignorancia en escribirlo y la tuya en esperar otra cosa de mí.[38]

Aquí puede verse que este *Sueño,* al igual que los demás, está muy lejos de ser una sátira dictada por el temperamento descomedido del escritor, como piensan algunos críticos.[39] Burla burlando, Quevedo hace aquí profesión formal de escepticismo filosófico, y nos debemos preguntar qué significa eso. ¿Cómo se compagina esa declaración de escepticismo con el resto del *Sueño?*

La crítica actual se siente inclinada a conceder de buen grado a Quevedo ese carácter escéptico porque, no pensando en términos históricos, las actitudes escépticas (si se juzga por el agnosticismo de nuestros días) imposibilitan la crítica social al hacernos dudar de la seguridad de nuestros propios juicios. Así la crítica contemporánea se queda contenta al descubrir que Quevedo, después de todo, no era un escritor propiamente crítico. Pero el error está en ignorar la época en que vivió Quevedo. Porque el escepticismo no ha sido siempre ese refugio de la cobardía en que hoy lo han convertido. En sus orígenes antiguos y modernos, el excepticismo fue una gran arma progresiva para la destrucción de mitos y barreras puestos por la reacción al conocimiento. Ése era el valor que tenía en tiempos de Quevedo, y así lo usó él.

---

[38] *El mundo por de dentro, Obras completas,* pp. 163-164.

[39] Luis Astrana Marín, *La vida turbulenta de Quevedo,* Editorial Gran Capitán, Madrid, 1945, pp. 128-134.

El escepticismo, es decir, la concepción filosófica que cuestiona la posibilidad del conocimiento objetivo de la realidad, surge y se desarrolla especialmente en las épocas en que los viejos fundamentos sociales se tambaleaban, pero las nuevas fuerzas sociales y su ideología son aún más débiles, y es por lo tanto una manera indirecta de atacar esos fundamentos (modos de producción, de vida, de ideologías) para que puedan prevalecer los nuevos valores. La manera de ataques es indirecta porque aún no se puede decir que esos fundamentos sean falsos, pero se intenta desacreditarlos y prescindir de ellos diciendo que no tenemos seguridad de que sean ciertos, que tenemos que abandonar esos conocimientos inseguros si queremos que la ciencia y el conocimiento avancen sobre una base más sólida y firme. El escéptico, por lo tanto, no duda de todo, sino que hace afirmaciones muy tajantes sobre nuevas seguridades.

En Occidente, el escepticismo surgió en el siglo IV de nuestra era, cuando la sociedad antigua empezó a decaer, y los escépticos siguieron la tradición iniciada por los sofistas, presentando argumentos sobre la relatividad del conocimiento humano y su decadencia en muchas circunstancias diferentes de la vida, aunque recomendaban la abstención de juicio para conseguir la ataraxia, lo cierto es que ellos no se aplicaron la recomendación a sí mismos, sino que juzgaron críticamente.

En la Europa moderna, en los siglos XVII y XVIII, el escepticismo reaparece sobre todo en Francia, donde la revolución burguesa había hecho progresos importantes, pero aún prevalecía la aristocracia semi-feudal. Montaigne, Charron, Descartes, Bayle y muchos otros cuestionaron los argumentos teológicos de que se servían los partidarios del antiguo régimen, e hicieron avanzar la ciencia y la ideología por un camino moderno. La duda metódica o escepticismo metódico cartesiano[40] instaba el abandono de la filosofía escolástica para poder afirmar la nueva visión racional —idealista— del mundo.

Aún vivía Descartes, cuando Le Roy transfirió su concepto de la estructura mecánica de los animales al hombre y declaró que el alma era un modo de existencia del cuerpo y que las ideas eran

---

[40] Por supuesto que hubo escépticos importantes desde el Renacimiento.

movimientos mecánicos. Le Roy llegó incluso a pensar que Descartes había ocultado su verdadera opinión, y aunque Descartes protestó, es evidente que Le Roy llevaba el cartesianismo a sus últimas consecuencias. Bayle, que murió a principios del siglo XVIII, utilizó el arma del escepticismo para refutar la metafísica de Spinoza y Leibnitz (no la parte científica de sus doctrinas); esta refutación negativa requería un sistema antimetafísico que propocionó Locke. Hay pues, un escepticismo de los primeros siglos modernos (que incluye a Erasmo, Bacon y muchos otros), sin el cual la fundamentación de la filosofía moderna hubiera sido imposible. Solamente al final de esta trayectoria se da un escepticismo principalmente negativo. (Pascal, Hume, Kant) y solamente en el siglo XX el escepticismo se ha convertido en el arma universal de la reacción.

Para algunos críticos Quevedo no es un escéptico radical como Descartes, sino un escéptico más moderado a la manera de Montaigne, que su escepticismo es el de un fideísta. Pero don Francisco en *El mundo por de dentro*, dice expresamente (basándose en Francisco Sánchez, conocido como uno de los precursores de la duda metódica cartesiana) que nada se sabe y que ése es el principio de todo verdadero conocimiento.

Este principio metódico radical le acerca más a Descartes que a Montaigne, aunque Montaigne está dentro del proceso escéptico que lleva a Descartes, pero es mucho más moderado que Quevedo. Según H. E. Barnes, "Montaigne icarnates urbanity and serenity"[41] y, antes comentó refiriéndose al filósofo francés del siglo XVI, que era el exponente supremo de la tolerancia y de la urbanidad: "... the supreme exponent of tolerance and urbanity".[42] Evidentemente, estas virtudes de moderación no se encuentran en Quevedo, siempre más apasionado y violento. Es verdad que coincide con Montaigne en cuanto éste usó, también, el excepticismo para atacar la teología y defender nuevas verdades del mundo moderno. Así, dice Barnes de Montaigne: "His chief significance in the growth of skepticism was his spirited defense

---

[41] *An Intellectual and Cultural History of Western World,* Dover, New York, 1965, 3 vols. p. 711.

[42] *Ob. Cit.,* p. 565.

of free thought in the face of the current dogmas of philosophers and theologies."[43]

Pero Quevedo no defiende un escepticismo moderado, sino total:

> Otros hay, en éstos que son los peores,
> entro yo, que no saben nada, ni quieren
> saber nada, ni creen que se sepa nada y
> dicen de todos que no saben nada y todos
> dicen dellos lo mismo y nadie miente.[44]

En Montaigne no se encuentran nunca afirmaciones tan tajantes como ésta de Quevedo.

El fideísmo reemplaza la razón y la experiencia por la fe y subordina la filosofía a la religión. Yo no veo eso ni en Montaigne ni en Quevedo. Para Quevedo, el fundamento de todo verdadero conocimiento, a través del sufrimiento personal que potencia como estoico, es la experiencia.

En el sueño que analizamos *El mundo por de dentro,* Quevedo, además, hace cuatro afirmaciones fundamentales sobre el escepticismo:

a) En primer lugar, demuestra que el ecepticismo total es imposible, que sería un relativismo absoluto, que por lo tanto se impugnaría a sí mismo (no se puede afirmar que nada se sabe de modo absoluto, sólo puede sospecharse).

b) En segundo lugar, afirma Quevedo que hay muchos que parecen escépticos porque confirman con su actitud que nada se sabe, pero es sólo porque no tienen la capacidad ni el ejercicio del saber, y por lo tanto esto no debe ser confundido con el escepticismo, que no es ignorancia de por sí.

c) Hay un excepticismo aparente, según Quevedo, que es sólo hipocresía, pues se refiere a personas que aseguran no saber nada por falsa modestia, para que los demás crean —como ellos mismos lo creen— que saben mucho; pero Quevedo afirma que lo que ellos dicen es verdad, por mucho que les pese, pues ciertamente no saben nada.

---

[43] *Ibid.,* loc. cit.

[44] Francisco de Quevedo y Villegas, *El mundo por de dentro, Obras Completas,* p. 164.

d) Por último, Quevedo dice estar entre los que "no saben nada y estudian para saber". La primera vez que se presenta este caso, al principio de la dedicatoria, Quevedo finge despreciar esta posibilidad, porque sin esta necesaria ironía el escritor no podría expresar sin peligro personal y censura las grandes verdades críticas que tiene que exponer. Pero al final vuelve al tema, y dice de estas gentes, entre quienes se cuenta, que son personas dispuestas a publicar sus creencias sobre ciencias y letras (obsérvese que Quevedo pone énfasis sobre el escepticismo en las ciencias, y menciona a Sánchez que fue médico) a todo riesgo —"gente que en cosas de ciencias y letras no tienen que perder"—, sugiere todavía con cierto tono irónico. Estas personas, entre las que se nombra, se dedican a publicar sus creencias escépticas —"dan que hacer a las imprentas"—, por poco valor que se conceda a esto —sus papeles acabarán envolviendo especias—, y en esa valentía de la publicación de las nuevas ideas incluye Quevedo sus sueños anteriores, su atrevimiento de burlarse del carácter sagrado de inspiración divina, del sueño prefético, su osadía de convertir el Juicio Final en farse presidida por Dios, "vestido de sí mismo"; de presentar a los reyes y privados en el infierno, a los representantes de la justicia como demonios, y a algunos eclesiásticos como hipócritas milagreros; de condenar al infierno, en el *Sueño* de ese nombre, a los poderosos, a jueces a soldados atraídos por las recompensas del rey, a caballeros orgullosos, a religiosos, a alguaciles.

Al comienzo del sueño de *El mundo por de dentro* nos presenta Quevedo al Desengaño, personificado en forma de anciano. Ahora bien, un desengaño total no permitiría ni la crítica ni la afirmación de creencias. Este desengaño es menos total de lo que el mismo Quevedo quiere hacer creer para protegerse. El hombre desengañado que personifica la desilusión no sólo ha sufrido porque es viejo, sino porque es pobre y ha sido mal tratado: "Era un viejo venerable en sus canas, maltratado, roto por mil partes el vestido y pisado. No por eso ridículo; antes severo y digno de respeto"[45] ¿Habla así un mero satírico? ¿Podría un escéptico total pronunciar tantos juicios condenatorios contra los caballeros, los grandes, el rey, contra la hipocresía social, contra la fe en la otra vida? (Los muertos no son: "... sino tierra de menos fruto y más espantosa

[45] *Ob. cit.*, p. 164.

de la que pisas,..."[46]). Quien afirma sus creencias y juzga críticamente los vicios de su sociedad bien pudiera ser considerado como un escéptico progresivo. *El mundo por de dentro* es quizás la declaración programática del sano escepticismo de Quevedo, que abre una ventana y un camino al futuro español.

Estructuralmente este *Sueño* tiene poco en común con los demás *Sueños*. Es antes que nada una alegoría de la vida humana en la que los personajes son símbolos de un vicio social.

Quevedo tiene que disimular, así que por ello elige como tema de este *Sueño* uno de los enemigos del alma, según la tradición católica; el mundo. Pero el *Sueño* no termina con el despertar, sino que contrariamente el autor finge sueño después de haber visto lo que es el mundo en realidad. De modo que, no sería el espíritu lo que nos libertaría de los males sociales, sino una acción enérgica contra ellos.

Usualmente el sueño se considera como un revelador de verdades aplicables a la vigilia, tal como se ve en *El sueño del Juicio Final* o en el *Sueño de la muerte*. La irrealidad del mundo que se describe en el sueño coadyuva para vivir mejor en la realidad diaria, pero en *El mundo por de dentro* la vigilia conduce al cansancio y al sueño físico. Es decir que en los otros *Sueños* Quevedo presentaba el mundo de la ficción como algo soñado, para que al volver a la realidad de la vigilia, el sueño sirviera de ejemplo, y en el *Sueño* que estudiamos, quizás para evitar la monotonía, el autor no nos presenta previamente el mundo de la imaginación, sino que se entra directamente en él, y el paso hacia la realidad se da a través del sueño físico.

Claro es que todo esto no se hace por meras razones de estilo —como el interés en evitar la monotonía—. En cada evolución de los *Sueños* quevedescos hay que buscar y descubrir causas profundas, de carácter ideológico y de pasión personal, que influyen tanto en el contenido como en la forma. A medida que ha ido escribiendo los *Sueños*, a lo largo de una serie de años, Quevedo, se encuentra más abrumado por las pesadillas que concibe —como retrato intensificado de su realidad ambiente—; y hemos llegado al punto en que ya no le es posible despertar de tales pesadillas y liberarse de ellas.

---

[46] *Ibid.*, p. 167.

Finalmente, diez años después, sueña desde la cárcel *El Sueño de la muerte*. Según la dedicatoria a doña Mirena Riqueza, es obra del año 1622; y al igual que los anteriores *Sueños* aparece publicada por primera vez en Barcelona en 1627.

Estructuralmente este *Sueño* es semejante a *El sueño del infierno*. Enfoca en él otro aspecto del mundo de ultratumba. Ahora el autor enfrenta a los muertos, en especial a aquellos que colaboran con la Muerte y no a los condenados, y habla con la suficiencia del que sabe que no pertenece a ninguno de estos auxiliares de la Muerte. Los personajes son los mismos que en el mundo de los vivos cooperan a poblar el de los muertos: médicos, boticarios, barberos, eclesiásticos, jueces, letrados, etc. En los otros *Sueños* habían aparecido como culpables y aquí aparecen como observados por el autor, no como condenados. Pero Quevedo no puede prescindir de la invectiva, como tampoco lo hizo cuando los presentó como condenados.

Aquí don Francisco, con gran donosura, juega con los personajes que el vulgo ha convertido en mitos: "don Diego de Noche", Juan de la Encina, el Marqués de Villena; y otros que han sido creados por la fantasía popular: "El rey que rabió", "Trochi-mochi", "Mateo Pico". Pero, entre bufonada y bufonada, vemos miras de otro y más grande interés político-social: analizar la situación financiera de España; buscar remedio a los males políticos y sociales; condenar las preocupaciones de la época; el sistema de estudios; los enredos de la legislación, con el carnaval del foro español de entonces.

En este *Sueño,* Quevedo no describe a todos los personajes con el aspecto de cooperadores de la Muerte, sino que crea un nuevo tipo de dramatización barroca en que las expresiones del habla cotidiana se transforman en personajes que caminan sin rumbo por el infierno:

> —Yo soy —dijo un hombre muy viejo—, a quien levantan mil testimonios y achacan mil mentiras. Yo soy el 'Otro' y me conocerás, pues no hay cosa que no la diga el 'Otro'. Y luego, en no sabiendo cómo dar razón de sí dice: "Como dijo el 'Otro'". Yo no he dicho nada ni despego la boca. En latín me llaman 'Quidam', y por esos libros me hallarás abultando renglones y llenando cláusulas. Y quiero, por amor de Dios, que vayas al otro mundo y digas, como has visto al 'Otro' en blanco y que no tiene nada escrito y que

no dice nada ni lo ha de decir ni lo ha dicho, y que desmiente desde aquí a cuantos le citan y achacan lo que no saben, pues soy autor de los idiotas y textos de los ignorantes.[47]

La palabra 'Otro' se vitaliza, se convierte en un personaje que se identifica a todo lo largo del párrafo con el fantasma de un anciano al que las alusiones continuadas del idioma le han dado existencia. Si seguimos leyendo veremos que la identidad puede cambiar y el nombre del personaje variar:

Y has de advertir que en los chismes me llaman
'Cierta Persona'; en los enredos, 'No se quién';
en las cátedras 'Cierto Autor', y todo lo soy el
desdichado 'Otro'...[48]

Este personaje viene acompañado de otras expresiones que encarnan los fantasmas de Don Diego de Noche, Perico de los Palotes, Pero Grullo, Trochimochi, palabras que situadas en un trasmundo se quejan justamente, ante un vivo, el autor, y piden clemencia al espectador humano que, constantemente, las hace agitar al usar dichas expresiones.

La actitud de protesta y censura de Quevedo la vemos, entre otros casos, en el diálogo que en este *Sueño* sostiene el autor con "un famoso nigromántico de Europa" al que introduce en una botella —cuyo nombre se deduce es el de don Enrique de Villena—, al hacerlo salir de la vasija, Quevedo y el famoso nigromántico entablan un diálogo comentando las condiciones en que se encuentra la España de la época: don Francisco denuncia que el dinero que viene de las Indias va a engrosar los fondos de los banqueros genoveses —"lamparones del dinero", "sanguijuelas del tesoro español"—, que "los caballeros en teniendo caudal, úntanse de señores y enferman de príncipes. Y con todo esto y los gastos

---

[47] *El sueño de la muerte, Obras completas,* p. 189.

[48] *Ob. cit.,* p. 189.

y empréstitos se apolilla la mercancía y se viene todo a repartir en deudas y locuras",[49] que la honra está a "siete estados bajo tierra"; que "la Justicia, por lo que tiene de verdad andaba desnuda: ahora anda empapelada como especias."[50]Seguidamente, Quevedo emite una serie de opiniones satirizando a los letrados y declarando que el valimiento es una enfermedad de la cual "todos los reinos son hospitales". Ante la enumeración de los males que apunta el autor, el famoso nigromántico decide no moverse de donde está, pero al formular su última pregunta: ¿Quién reina ahora en España, que es la postrera curiosidad que he de saber, que me quiero volver a jigote que me hallo mejor?"[51]

Quevedo le contesta que España está siendo gobernada por Felipe IV y el nigromántico saliendo de su redoma echa a correr diciéndole: "más justicia se ha de hacer ahora por un cuarto que en otros tiempos por doce millones."[52] El diálogo se cierra con la intervención de un muerto, quien asiendo a Quevedo del brazo impide que éste parta tras el nigromántico que ha ido nuevamente a refugiarse en su redoma de vidrio y le dice a don Francisco: "Sólo ahora que a ti y al de la redoma os oí decir que reinaba Filipo IV, digo que ahora lo veredes."[53] No nos extenderemos en el comentario del mensaje, que del más allá envían al más acá, por lo profético que éste resultó.[54]

Después de este último *Sueño*, según palabras iniciales de Quevedo, no le queda ya que soñar y, al despertar de su fingido sueño, se siente cansado y colérico como si su peregrinación hubiese sido verdad, por lo cual se propone no despreciar y dar crédito a todo lo que ha visto y oído.

---

[49] *Ibid.*, p.184

[50] *Ibid.*, p. 185.

[51] *Ibid.*, p. 186.

[52] *Loc. cit.*

[53] *Loc. cit.*

[54] Bajo el reinado de Felipe IV los españoles reanudaron la guerra con los Países Bajos (1622) que trajo como resultado la pérdida de Bois-le-Duc en 1629; la participación en la Guerra de los Treinta Años (pérdida de Arras y de Perpiñán, y las derrotas de Rocroi (1643) y de Lens (1648); la sublevación de Cataluña y de Portugal (1640).

En general, los medios descriptivos que Quevedo emplea en los *Sueños* son iguales, excepto en *El alguacil endemoniado*. Es decir, cuando Quevedo, nos ofrece su consideración del infierno recurre al punto de vista del autor-testigo presencial de lo que narra en *El sueño del Juicio Final*: "Yo, que en *El sueño del Juicio Final* "ví tantas cosas..."[55] y al testimonio de un tercero, uno de los demonios, en el segundo de los *Sueños*: "... y en *El alguacil endemoniado*, "oí parte de las cosas que no había visto."[56] Inmediatamente vemos que la técnica varía, pues el autor vuelve a su posición de autor-testigo presencial en *El sueño del infierno*: "... (ví) guiado del Angel de mi guarda lo que sigue"[57] (Ser guiado al infierno por el Angel de la Guarda es tan sarcástico que huelga el comentario).

Otra nota característica del estilo de Quevedo, y de gran variedad, es la enumeración tanto de metáforas como de personajes. Se hace presente en los *Sueños* un estilo caóticamente enumerativo —agrupa cosas del más diverso orden de ideas e insiste en lo inconexo de ellas—. Un ejemplo de caotismo lo tenemos en la descripción de la Muerte: "En esto entró una que parecía mujer, muy galana y llena de coronas, cetros, hoces, abarcas, chapines, monteras, brocados, pellejos, seda, oro, garrotes, diamantes, serones, perlas y guijarros."[58] La enumeración caótica, por lo menos en el caso de Quevedo, revela la conciencia de vivir en un caos.

Algunas veces nos encontramos con un elemento o vocablo de sorpresa que busca una finalidad humorística o crítica: "...empezó la visita de todas sus mazmorras, para reconocer prisiones, presos y ministros."[59]

El zeugma aparece en los *Sueños* con cierta frecuencia: "...las ropas y tocados de los condenados están allí prendidos, en vez de clavos y alfileres, con alguaciles."[60] "... aunque el camino estaba

---

[55] *El sueño del infierno, Obras completas,* p. 141.

[56] *Loc. cit.*

[57] *Loc. cit.*

[58] *El sueño de la Muerte, Obras completas,* p. 177.

[59] *Discurso de todos los diablos o Infierno enmendado, Obras completas,* O. 199.

[60] *El sueño del Juicio Final, Obras completas,* pp. 131-132.

algo embarazado, no tanto con las mulas de los médicos como las barbas de los letrados..."[61]

Juega con el sentido de las palabras: "Andaban contándose dos o tres procuradores las caras que tenían, y espantábanse que les sobrasen tantas, habiendo vivido tan descaradamente."[62] Y en *El sueño de la Muerte* dice:

> Tocado has una tecla del diablo. Todos tienen honra, y todos son honrados, y todos lo hacen todo caso de honra. Hay honra en todos los estados, y la honra está cayendo de su estado, y parece que está ya siete estados debajo de la tierra. Si hurtan, dicen que por conservar esta negra honra, y que quieren más hurtar que pedir, y que es mejor pedir que no hurtar. Si levantan un testimonio, si matan a uno, lo mismo dicen; que un hombre honrado antes se ha de dejar morir entre dos paredes, que sujetarse a nadie.[63]

Los juegos de vocablos, en cierto sentido, ahogan el significado y sentido del párrafo y hay que hacer un esfuerzo para forzar el significado de palabras sencillas usadas con diferentes acepciones.

Quevedo hace uso del absurdo lógico: "Y volviéndome a un lado, ví a un avariento que estaba preguntando... si habían de resucitar aquel día todos los enterrados, si resucitarían unos bolsones suyos."[64]

Utiliza mucho en los *Sueños,* el método de aplicar vocablos propios de un orden de experiencia a otro diametralmente distinto, transfiere características de uno a otro orden. Mediante este canje o trasposición del lenguaje, produce en el lector una sensación de sorpresa y humor: "Alrededor (de los médicos) venía una chusma y caterva de boticarios con espátulas desenvainadas y jeringas en ristre, armados de cala en parche como de punta en blanco."[65]

---

[61] *El sueño del infierno, Obras completas,* p. 142.

[62] *El sueño del Juicio Final, Obras completas,* p. 127.

[63] *El sueño de la Muerte, Obras completas,* p. 184.

[64] *El sueño del Juicio Final, Obras completas,* p. 126.

[65] *El sueño de la Muerte, Obras completas,* p. 175.

En este pasaje vemos palabras como "desenvainadas", "en ristre" y "armados" propias de las armas aplicadas a elementos relativos a la medicina y a la farmacia.

Quevedo, como uno de los artistas más representativos del Barroco español, sigue las corrientes estéticas de su tiempo y ofrece en los *Sueños* abundantes ejemplos de juegos de opuestos o tensión entre contrarios —característica común en todas las artes que florecieron en el período barroco—, no sólo en las formas de expresión, según hemos visto, sino en las ideas. Pero lo característico en Quevedo no es que haya tensión interior en su producción artística, sino que dicha tensión sea tan aparente en su obra.

El uso que Quevedo hace de su gusto por el contraste va desde el más simple —el contraste de la realidad de la vigilia y el de la realidad onírica— que descubrimos en la estructura general de los *Sueños*, con excepción de *El mundo por de dentro*, hasta uno de los más complejos y complicados: el del religioso exorcista y el demonio, en *El alguacil endemoniado*. La dualidad y oposición en este *Sueño* se complica de tal modo que nos resulta fácil asociar a la figura del religioso exorcista, la cualidad de hipocresía y a la de su antagonista, el demonio, la de bondad o por lo menos pensamos de él como de un moralista, lo cual es una magnífica ironía quevedesca.

Quevedo gusta de las parejas de contrarios en las expresiones: a una categoría contrapone otra que por su significado es opuesta a la primera: "...cetro, hoces, abarcas, chapines, tiaras, caperuzas, mitras, monteras, brocados, pellejos, seda, oro, garrotes, diamantes, serones, perlas y guijarros."[66]

Otro contraste quevedesco característico consiste en alternar chocarrerías con párrafos de carácter moralizador:

> Así supe como las dueñas de acá son ranas del infierno, que eternamente como ranas están hablando, sin ton y sin son húmedas y en cieno, y son propiamente ranas infernales; porque las dueñas ni son carne ni pescado, como ellas. Dióme grande risa el verlas convertidas en sabandijas tan perniabiertas, y que no se comen sino de medio abajo,

---

[66] *Ibid.*, p. 177.

como la dueña cuya cara siempre es trabajadora y arruga-da.[67]

De los sodomitas y viejas no sólo no sabemos dellos, pero ni querríamos saber que supiesen de nosotros; que en ellos peligrarían nuestras asentaderas y los diablos por eso traemos colas, porque como aquellos están acá, habemos menester mosqueador de los rabos.[68]

Estos párrafos de tono subido no dejan de ser arriesgados, aunque no llegan a las licencias que vemos en otras obras de Quevedo[69], ni son tan numerosos como los que evidencian el afán moralizador o crítico.

Notable también es la oposición de elementos contrarios en *El mundo por de dentro:* de un lado el autor y del otro el Desengaño. El primero, encarece lo ficticio y engañoso; y el segundo, destruye la ilusión y descubre la realidad; es decir, muestra el revés de las cosas, frente al autor que describe lo que ve de ellas.

El tema del juego de contrarios aparece constantemente en los *Sueños* y resultaría demasiado vasto citar todos y cada uno de los casos en que se presentan.

La clave estética del Quevedo de los *Sueños* pudiera encontrarse en estas líneas: "Parecióme, pues, que veía un mancebo que discurriendo por el aire, daba voz de su aliento a una trompeta, afeando con su fuerza en parte su hermosura."[70] Del contexto de lo transcripto se desprende que la hermosura no puede ser ahora un ideal posible, alcanzable, se da paso a la expresión no como medio para alcanzar un fin estético, sino como desahogo ineludible, como alivio de una presión interior que resulta insoportable.

El estilo pues para Quevedo es una expresión de tensiones y lucha y su expresión literaria es la de un luchador, la de un rebelde, que no se da tregua ni reposo, que sigue adelante. Por ello parece natural que ese esfuerzo heroico sea el que haga estallar la prosa de Quevedo, el que desate sus ataques contra

---

[67] *El sueño del infierno, Obras completas,* p. 150.

[68] *Ob. cit.,* p. 151.

[69] *Gracias y desgracias del ojo de c., Obras completas,* pp. 95-100.

[70] *El sueño del Juicio Final, Obras completas,* p. 126.

todo y contra todos: "Others writers joined him (Quevedo) in combatting one or another of the aspects of literary, social, or political deterioration, but none of his colleagues took the same comprehensive stand against all forms of national decay as did Quevedo."[71] El propósito de Quevedo no es agradar, sino criticar tanto a su lector — "Eres tan perverso que ni te obligué llamándote pío, benévolo, ni benigno en los demás discursos por que no me persiguieses; y ya desengañado, quiero hablar contigo claramente"[72] —como a la sociedad que le rodea.[73]

Por su crítica valiente, ante el contorno histórico contemporáneo a él, Quevedo adquiere modernidad hoy. A la vez que un precursor del mañana, Quevedo, fue un formidable retratista de la historia. Con su rebeldía y su protesta social manifiestas, tanto en el contenido como en la forma de los *Sueños,* ha dado una gran lección de valor y de arte a los hombres de su tiempo y a los del nuestro.

---

[71] Doris L. Baum, *Traditionalism in the works of Francisco de Quevedo y Villegas,* Artes Gráficas Soler, S.A., Valencia, 1970, p. 14.

[72] *El sueño del Infierno, Obras completas,* p. 141.

[73] Las críticas de Quevedo a las clases sociales y a los individuos de su tiempo, que hemos presentado, pueden compararse con las que en casos similares aparecen en las Actas de las Cortes de Castilla correspondientes a los reinados de Felipe III y Felipe IV.

"Fuenteovejuna": Conflicto legal que plantea

En la inmensa producción de Lope de Vega, no se advierten ribetes de definidos de preocupación política o social, es una obra puramente artística literariamente y además, con ella como es de todos sabido, crea la comedia del Siglo de Oro Español, en casi todas sus modalidades.

Vemos a Lope a través de su comedia, sumergido en las glorias de un pasado al que canta con sublime inspiración dramática, pero al que nunca toma como punto de referencia-comparativo con el vivir histórico de su tiempo.

Para nuestro poeta, los destinos de la monarquía-católica-española son los de la nación. A través de ella él ve surgir la unidad de España primero y el vasto imperio después, como un sol que le deslumbra. Por ello entrega las más puras esencias de una inmortal obra literaria a la exaltación de lo tradicional español.

Fuenteovejuna, Peribáñez, y *El Comendador de Ocaña y Los Comendadores de Córdoba,* integran una trilogía del derecho y de la justicia popular, ya que estas tres comedias se enlazan por un mismo tema. Los tres dramas atacan el despotismo y los desmanes de los Comendadores de las Ordenes Militares, que hacían que el pueblo, en justa reacción, se levantara contra ellos, por las vejaciones crueles de que se les hacía objeto.

La "Crónica de la Orden de Calatrava", en su capítulo XXXVI, registra el episodio histórico de *Fuenteovejuna* ocurrido allá por el año 1476.

Poseedor Lope, como todo gran poeta, de intuición histórica, nos ofrece en su inmortal drama el punto culminante de la lucha del pueblo contra la nobleza, en el episodio secundario, pero hondamente significativo, de *Fuenteovejuna,* pero al hacerlo nos da el reflejo de la realidad imperante, pues en esa lucha el pueblo está unido en indisoluble alianza con los Reyes Católicos.

Luego, en el drama, se conjuntan dos ideales, democracia y monarquía, conceptos que en la España de esa época vivían hermanados y estaban representados por los Concejos y las Cortes, respectivamente. Así pues, no nos extraña que, en el drama de Lope, ambos principios aparezcan unidos y lleguen a fundirse en uno sólo, pues el poeta es un fiel intérprete del alma de la época.

El indiscutible acierto del artista radica, en saber poner en una parte insignificante del diálogo, el cuadro completo del momento político-histórico que estremece a España.

> ¡Qué a un capitán a cuya espada
> tiemblan Córdoba y Granada
> un labrador, un mozuelo
> ponga una ballesta al pecho!
> el mundo se acaba, Flores.[1]

En este lamento del Comendador percibimos el final del poderío de los grandes señores que caracterizara a la Edad Media, en la cual el pueblo se identifica con el Rey como absoluto soberano.

Hay en el drama alusiones a la política y filosofía aristotélica, rasgos medievales que aún imperaban en el ambiente. Recordemos que *Fuenteovejuna* se desarrolla en un período de transición para España, en que estaban en pugna las concepciones renacentistas y medieval de la vida y Lope no podía cometer el error de dejar de reflejar esa pugna.

En esta obra, la más popular del teatro castellano, el poeta se identifica plenamente, a maravilla, con las pasiones de aquella muchedumbre, y nos ofrece un drama "lleno de bárbara y sublime poesía, sin énfasis, ni retórica, ni artificios escénicos".

El alma popular en *Fuenteovejuna* se desata libremente valiéndose de la inconciencia política en que vivía "el Monstruo de la naturaleza" y sus espectadores, hechos que ha señalado Marcelino Menéndez y Pelayo, al decirnos de este drama, "en parte alguna puede encontrarse un cuadro tan espantosamente verídico de lo que fue la anarquía y el desenfreno moral que se paseó

---

[1] Lope de Vega. *Fuenteovejuna,* Editorial Ebro, S.A., 1964, pág. 60.

triunfante por Castilla en el infausto reinado de Enrique IV, y que sucumbió bajo el cetro de los Reyes Católicos".

En el Comendador, la más odiosa figura del drama, creemos ver insinuarse un rabioso individualismo, una voluntad irrefrenable; fuertes pasiones amorosas; erudición rica que da un no sé qué de refinado y espiritual a su libertinaje; una ansiedad irreprimible de poder; características estas que se desarrollan más tarde y a plenitud en el gran señor del Renacimiento.

La situación que plantea la obra es la rebeldía esencial del hombre malo contra la autoridad, en dos aspectos: a) lascivia representada por el anhelo de dominio del Comendador de poseer a Laurencia y b) el deseo de poder del propio Comendador de conquistar Ciudad Real.

Estos son los dos caminos que toma la rebeldía y que van a dar lugar al orden que imponen los Reyes Católicos.

En cuanto al tema de la venganza, tenemos en *Fuenteovejuna* la venganza de todo un pueblo, que es el protagonista de la obra, a diferencia de lo que ocurre en *Peribáñez y El mejor Alcalde, el rey,* en que el tema de la venganza es particular.

Analizada a grandes rasgos la temática de *Fuenteovejuna*, veamos en el contexto de ésta, los aspectos más sobresalientes de la misma, a nuestro juicio.

Lo primero que hemos podido notar, es que se cuenta un relato continuado porque hay una serie de motivos históricos. En el comienzo de los cuadros se nos informa de algo, no es más que una conversación que continúa el Comendador con el Maestre cuando entran Pascuala y Laurencia, las cuales han estado hablando. Ni se puede hacer relato ni hay una exposición lógica.

En el primer núcleo se habla de la guerra. Ponerse al lado del Rey de Portugal y la Bertraneja y atacar a los Reyes Católicos. En este núcleo la Ciudad Real ocupa una posición muy importante. El Comendador está invitando al Maestre a que se rebele contra los reyes, él accede y dice que esa será su política, pero en este tema épico se trata de la lucha militar; y, el mismo comienza en el drama con la nota de cortesía, porque el Maestre no le recibe inmediatamente, de lo que resulta que, dentro del tema épico se habla de la cortesía.

Como hemos visto en el primer núcleo se habla de la rebeldía lo cual da a la obra un carácter político. El segundo tema es amoroso y los personajes labradores. En éste, Laurencia recibe la noticia de Pascuala de que el Comendador se ha marchado, hecho que a ella no le importa, pues lo rechaza con una indiferencia que Pascuala no comprende.

El conflicto de la obra nos lo va a presentar Pascuala ante la maravilla que consiste en que Laurencia se escape de las manos del Comendador. Se relaciona esta actitud de Laurencia con el matrimonio. Vemos a un hombre que desea a una mujer y no piensa casarse con ella. No solamente desea a Laurencia, sino que ha deseado a muchas otras de la Villa. Con esto vemos el tema amoroso unirse a la figura del Comendador.

Laurencia nos pinta una naturaleza muerta. Nos pinta el día de una labradora y al hacerlo nos presenta la vida sencilla de la aldea para decirnos que es mucho mejor que estar sometida a los deseos del Comendador, aunque éstos le pudieran traer dinero y honor. Laurencia llega a convencer de sus ideas a Pascuala, quien al fin le da la razón. El tema del amor se está haciendo muy complicado. En este momento vienen los obreros labradores dialogando sobre el amor al que presentan de dos formas.

Según Mengo, el amor carnal o el amor natural o amor egoísta. Ese amor él no lo niega:

> Del natural, os advierto
> que yo no niego el valor
> ....[2]

Mientras Frondoso y Barrildo defienden la existencia del amor ideal, honesto, y esto es los que se llama una cuestión de amor. Es éste un debate; y, como en todo debate hay que decidir quién tiene la razón.

Frondoso llama a las labradoras "damas", esto es una figura retórica que se encuentra en la Edad Media y que se le denomina estimación afectiva.

Vemos que la cortesía y la malicia están floreciendo en la ciudad. El tema de la cortesía se completa. Está representado frente a la ciudad y la aldea. Son las ambiciones y las pasiones del tema horaciano. El desprecio de la corte y la alabanza del campo. La cuestión del amor termina sin que el juez dé su dictamen.

El tema del amor ha tenido mucha amplitud, vemos la rebeldía completamente triunfante y al Comendador como la figura del

---

[2] *Ob. Cit.* pág. 39.

capitán victorioso que desea a Laurencia, pero ella lo rechaza. Este rechazo es una maravilla para Pascuala porque no se trata de un hombre, sino de una fuerza extraordinaria que organiza la rebeldía contra la autoridad de los Reyes; y, ahí surge la posibilidad del conflicto.

En cuanto termina Frondoso, termina el romance y se oye una canción. De un lado tenemos a los caballeros, del otro a los labradores; de un lado el palacio, del otro la plaza de Fuenteovejuna.

Al final del segundo tema se unen los dos núcleos; y, ahora aparece el tema celestinesco. Los servidores tienen que satisfacer al señor Comendador. Con esta tema en que Flores y Ortuño actúan de alcahuetes se cierra la primera mitad del drama; y, como vemos esto nos aleja del tema político.

La figura del señor Comendador, como rebelde victorioso, se proyecta como una sombra sobre Laurencia, en la última mitad de este acto primero, pero el conflicto no ha llegado a su clímax y la acción ha sido presentada de manera episódica, con pequeños motivos, que hacen que el relato tenga una forma. Cuando se presenta la acción hay un orden.

Se presentan los Reyes. La Ciudad Real ha caído y no han podido defenderla contra el ataque del Maestre de Calatrava, Don Rodrigo Téllez Girón, quien ha sido seducido por la figura luciferina del señor Comendador, Fernán Gómez. Ante ello, el Rey dispone la reconquista de la ciudad, a cuyo efecto envía al Maestre de Santiago, Don Manrique, en compañía de Don Diego Fernández de Córdoba, Conde de Cabra;

> Rey.   Don Manrique, partid luego,
> llevando dos compañías;
> remediad sus demasías,
> sin darle ningún sosiego.
>
> El conde de Cabra ir puede
> con vos; que es Córdoba osado,
> a quien nombre de soldado
> todo el mundo le concede;
> que éste es el medio mejor
> que la ocasión nos ofrece.[3]

---

[3] *Ibid.*, pág. 49.

Aquí, la acción vuelve a cambiar y volvemos a Fuenteovejuna, pero no al mismo lugar, sino al campo, al arroyo, a la fuente, al amor, donde encontramos a Laurencia y Frondoso.

Este primer acto se cierra con la lucha entre el Comendador y Frondoso y con la unión de los temas dramático y lírico.

Siguiendo con la estructura dramática, unidos a los temas dramático y lírico se pasa a la acción; y, después al final de este acto, la acción es rápida, es decir, dirigida con gran velocidad, por lo que la gracia desaparece y se pierde el elemento de tensión.

El final del primer acto tiene que tener una función clara, con la exposición de los temas vemos dos hilos de la trama, pero no vemos bien todo el conflicto dramático.

Laurencia indica ese conflicto con el Comendador, éste es un hecho digno de tenerse en cuenta, pero no quiere decir que ése sea el conflicto, el acto termina y el Comendador quiere apoderarse de Laurencia y vemos que Frondoso que no se había marchado, que estaba oculto, coge una ballesta y amenaza al Comendador. En esta escena, vemos a Laurencia entre dos hombres; y, estos cobran valor simbólico en cuanto a que uno, el Comendador, representa el amor lascivo; y el otro, Frondoso, representa el amor honesto.

Al disputarse esos dos hombres la misma mujer, vemos unirse en Laurencia las dos corrientes del amor honesto y el amor deshonesto, ambos conceptos con virtualidad dramática.

Al final del acto, el Comendador es castigado, pues es humillado a manos de un villano y con ello se ha derrumbado la estructura potente de la sociedad. "Situación muy característica del Barroco, en el cual los actores que hacen papeles principales tienen dimensiones colosales", con los cinco versos que siguen el Comendador tiene que llenar todo el teatro; y así se logran las grandes dimensiones:

> ¡Peligro extraño y notorio
> mas yo tomaré venganza
> del agravio y del estorbo!
> ¡Que no cerrará con él¡
> ¡Vive el cielo, que me corro![4]

---

[4] *Ibid.,* pág. 53.

El acto segundo comienza con versos endecasílabos de ritmo lento, en octavas reales; y, vemos a Lope divertirse y coquetear con el público que quiere entrar en la acción, pero el "fénix de los ingenios" nos habla de cereales, vinos, frutas, etc.; el estudiante de Salamanca, para rápidamente, en comunión con el público, meterse en la acción, y más tarde, el poeta con toda la fuerza dramática que lo caracteriza, pone el propio público dentro de la acción.

En este acto se ha desarrollado mucho la acción y hay el riesgo de que el interés del espectador baje. Este momento en que se produce la baja de interés del público lo veremos al producirse el desenlace, por ello la pausa entre el segundo y el tercer acto es breve, a diferencia de la pausa entre el primero y segundo acto, que es larga.

En el acto segundo, es de destacar la escena entre el Comendador, hombre joven, y Esteban hombre de edad, en que el primero reclama brutalmente al segundo, su hija:

> Comendador. Quisiera en esta ocasión
> que le hiciérades pariente,
> a una liebre que por pies,
> por momentos se me va.

> Esteban   Sí haré, por Dios, ¿dónde está?
> Comendador Allá vuestra hija es,
> Esteban   ¡Mi hija![6]

Es un error presentar esta escena, desde el punto de vista social del siglo XIX, como conflicto de lucha de clase, como lo hacen muchos críticos de la comedia, de Lope, que estudiamos. No hay ningún contenido ni implicación social, es simplemente la actitud de un hombre cínico que quiere lograr la satisfacción de sus lúbricos deseos. Es una escena de brutalidad del siglo XIX, pero con un tono distinto, pues mientras en el siglo XIX se produce en un medio social y económico, aquí en este drama, la escena se desarrolla en un medio metafísico, ya que en el siglo XVII, Dios es el padre de todo lo que ha creado y la mujer, como

---

[6] *Ibid.*, pág. 57.

representante de la belleza del mundo, despierta los apetitos del hombre.

También es de destacar en este acto segundo, otra escena en que las figuras principales, Laurencia y Pascuala, aparecen juntas con Mengo. Esta escena recuerda aquella otra del acto primero en que Frondoso, en el prado, defendió a Laurencia contra los ataques del Comendador que la perseguía y allí vemos como el valor de Frondoso despierta la inclinación de Laurencia hacia él y se conjuntan belleza honesta de la mujer de un lado y valor prudente del hombre del otro.

En este núcleo se destaca la figura de Mengo el gracioso con proyección histórico-bíblica cuando quiere atacar al Comendador "con piedras" para defender a Jacinta que viene pidiendo socorro, ya que el Comendador y sus hombres quieren forzarla.

Insistimos en que el final de esta escena es coincidente con el final del acto primero, pero con las circunstancias invertidas, pues en aquélla el Comendador fue vencido por Frondoso y en ésta los labradores han sido vencidos y humillados por el Comendador, quien castiga y rebaja a Jacinta y a los demás labradores. Hay que comprender que no ocurrió esto con Frondoso y Laurencia, ya que Lope les aplicó el principio del arte llamado "decoro".

Este principio del "decoro poético", basado en el concepto aristotélico, por cuestión de estética, nos lo presenta Lope en dos personajes parecidos, Frondoso y Laurencia.

En este acto, también mezcla Lope el amor de los personajes centrales con distintos motivos, tales como los desmanes del Comendador, la alusión a los Reyes Católicos y la forma como éstos harán entrar a España en el orden; le da vida a la acción, sin que falte la nota humorística.

Otro detalle de señalar en este acto, es la letrilla del romance que se canta con motivo de la boda de Frondoso y Laurencia, decimos que es de destacar, pues nos luce inoportuna desde el punto de vista lógico, si comparamos toda su gracia rítmica, y de gran delicadeza, con la aparición y acción brutal del Comendador.

Al finalizar este acto, nada hace prever el levantamiento que culmina con la intervención de Laurencia en el acto tercero:

> ¡Vive Dios, que he de trazar
> que solas mujeres cobren
> la honra de estos tiranos,
> la sangre de estos traidores,

y que os han de tirar piedras,
hilanderas, maricones,
amujerados, cobardes,
y que mañana os adornen
nuestras tocas y basquiñas,
solimanes y colores!
A Frondoso quiere ya,
sin sentencias, sin pregones,
colgar el comendador
del almena de una torre;
de todos hará lo mismo;
"y yo me huelgo, medio-hombres,
por que quede sin mujeres
esta villa honrada, y torne
aquel siglo de amazonas,
eterno espanto del orbe.[6]

El acto III tiene lugar en la Sala del Concejo de Fuenteovejuna.
La junta que allí está reunida, es una típica "junta de vecinos" y
todo el desenvolvimiento de la misma son característicos de la
vida municipal de aquellos tiempos. Lo más espectacular de esta
escena es la entrada de una Laurencia desmelenada diciendo: "que
bien puede una mujer, si no dar voto dar voces". Y, así con voz
que estremece las fibras más sensibles, increpa a los hombres que
se tomen la venganza por sus manos y los apostrofa de forma tal,
que esta escena se convierte en una de las más vigorosas del
teatro del Siglo de Oro español.

El lenguaje que emplea Laurencia es crudo, vivo pero despojado
de chabacanería. Cristianismo y paganismo son los que adornan a
la joven. Del primero hereda lo que constituye uno de sus más
firmes atractivos, su dignidad de mujer y el segundo la lleva a
intercalar en su discurso un recuerdo pagano:

aquél siglo de amazonas
eterno espanto del orbe

Tipos de mujeres sentimentales y bravías, castas y ardientes
como Laurencia, llenan las páginas de la historia de España.

---

[6] *Ibid.*, pág. 83.

La acción unida de la comunidad —que nada tiene que ver con el coro antiguo— decide matar al Comendador; van hacia su casa, logran entrar y Esteban, el padre de Laurencia, después de atacar al que ultrajó su honor, le hiere de muerte, cumpliéndose de esta manera el principio vigente en aquella época de que el agravio sólo se lava con sangre.

Enterados los Reyes Católicos de los sucedido disponen que se haga justicia y envían su representante a Fuenteovejuna, a tal objeto.

Aquí veremos en el drama, dentro de la escena del tormento, dos escenas, una dentro de la otra; la primera a modo de ensayo y luego la real que tiene lugar detrás, no a la vista del público. Esto se fundamenta en el hecho de que el teatro de Lope rechaza las escenas de crueldad a presencia del público y además por la sencilla razón de que tanto en el tormento, como en el martirio, cuando el hombre se dispone a aceptarlos, lo importante es el acto de voluntad, el gran instante de la decisión, y no la realidad del martirio que el hombre está sufriendo.

En estas dos escenas el sentido del "decoro" cambia porque ambas están separadas por el soneto que dice Laurencia:

Amando, recelar daño en lo amado,
nueva pena de amor se considera;
que quien en lo que ama daño espera,
aumenta en el temor nuevo cuidado.

El firme pensamiento desvelado,
si le aflige el temor, fácil se altera;
que no es a firme fe pena ligera
ver llevar el temor el bien robado.

Mi esposo adoro; la ocasión que veo
al temor de su daño me condena,
si no le ayuda la felice suerte.

Al bien suyo se inclina mi deseo:
si está presente, está cierta mi pena;
si está en ausencia, está cierta mi muerte.[7]

---

[7] *Ibid.*, pág. 96.

Cuando se está dando tormento a todo un pueblo, hemos pasado de la escena de ensayo a la real a través de este soneto que también presenta el tormento de la amante.

El tormento de todo el pueblo, es el fondo que sirve al tormento de amor a la esposa, que cada día de su vida es un tormento por su esposo, siempre pendiente de que pueda sucederle algo. La pareja de Frondoso y Laurencia, es la que proyecta al pueblo lo que está pasando. La comunidad, integrada en síntesis, por un viejo, el padre de Laurencia; un hombre, el gracioso; y una mujer, sirven de fondo a la pareja en representación de la humanidad.

Aquí vemos en Lope, al dramatizar este episodio, el sentido liberal y justiciero que anima a los clásicos españoles y que tiene por principio "del rey abajo ninguno". Este sentido en *Fuenteovejuna* tiene su ápice, cuando el pueblo como protagonista adquiere la épica grandeza de la tragedia clásica. Se toman la justicia por la mano y se juramentan para no revelar los nombres de los que dieron muerte al mal Comendador, ni aun cuando sean sometidos a los más crueles tormentos.

La actitud del pueblo contra el poder que lo oprime, es un ejemplo admirable de solidaridad, surgida en esa institución local, engendradora de la conciencia colectiva de la democracia directa.

Cuando trataban de averiguar quién mató al Comendador vemos a Laurencia exclamar, ante la resistencia del niño, ¡Bravo pueblo! ¡BRAVO Y FUERTE!. Pero no es la resistencia de ese niño a las torturas para que declare quien es el culpable, el que hace lanzar a Laurencia esas exclamaciones, pues el niño como tal, es un ser individual y además, no puede ser ni bravo ni fuerte todavía, sólo lo es en cuanto forma parte integrante del pueblo con el que se siente solidario en su rebeldía y fortaleza.

Los Reyes Católicos al tener que juzgar el crimen cometido en la persona de Fernán Gómez de Guzmán, por la acción colectiva y justa de todo un pueblo, quedan admirados ante la compacta solidaridad de esa sociedad de vestigios feudales, y cuya única garantía de justicia estaba en la monarquía nacional, y deciden perdonar a la Villa, pese a la gravedad del delito perpetrado.

En las obras más señaladas de Lope, siempre triunfa el pueblo, pero no por sí mismo, sino que se impone por la mediación enérgica del rey, soberano por derecho divino, además de gobernante con poder, encargado de restaurar la razón, la verdad y la justicia.

Lope, hijo y hombre de la ciudad, con hábitos y vicios ciudadanos, es el poeta del campo español. Y es significativo y singular que este ingenio cortesano dé el triunfo al campesino sobre el noble, tanto en *Fuenteovejuna*, como en *Peribañez y El mejor alcalde el rey.* En todas ellas el campesino triunfa apoyándose en el rey, unión ésta familiar en la Edad Media, pero cuyo significado político ya no entiende el Fénix de los Ingenios; para él, el monarca es una especie de "deux ex machina", con función moral pura, de restaurador de la justicia.

Fuenteovejuna, como hemos dicho anteriormente, basada en un hecho histórico, es la voz profética de Lope ante los conflictos del pueblo, pero no en el sentido que se le ha querido dar por algunos, de revolucionaria y socialista, ya que no hay en la obra tesis a favor de éste o aquél otro concepto.

Plantea una situación, un conflicto que, ahora, analizaremos a la luz del Derecho Penal.

Una vez realizada la venganza, la justicia reclama sus fueros inmanentes; y es un secuaz del Comendador quien la pide ante las católicas majestades, los que, como hemos dicho, en el curso de este trabajo, nombran —para hablar en términos legales— al Juez Investigador, con facultades bastantes, para una vez evacuado el proceso de investigación, condenar a los culpables. Este hombre, constituído en Tribunal, nada puede hacer, ya que no puede establecer responsabilidad aislada, pues el pueblo como una sola unidad, asume colectivamente, la responsabilidad del hecho perpetrado. Ante esta situación, los monarcas deciden perdonar el delito, basándose en que:

> no puede averiguarse
> el suceso por escrito,
> aunque grave fue el delito,
> por fuerza ha de perdonarse.[8]

Estamos pues, ante un extraordinario caso de mancomunidad en el cual lo más que sorprende, jurídicamente, es la conciencia que presupone asumir colectivamente la responsabilidad del hecho. De ahí, que en este caso, no es posible hablar de concurso de vo-

---

[8] *Ibid.,* pág. 105.

luntades y concurso de acción, de complicidad, de participación, sino sólo de acción conjunta en la comisión del delito y de responsabilidad solidaria compartida, una vez consumado aquél.

Pero pese a ésto, hemos encontrado en la obra, actuaciones individuales que ejercieron influencia en el transcurso de los sucesos principales y que son de interés desde el punto de vista de la ciencia que estudia los delitos y las penas.

La figura humana de Fernán Gómez de Guzmán, el Comendador, presenta características psicopáticas de las cuales van surgiendo paralelamente y en cadena los distintos actos colectivos que van preparando la reacción del pueblo que le ocasionará la muerte.

Una prueba concluyente de la condición morbosa del Comendador que le hace mostrarse más cruel y soberbio es la escena aquella entre él y el padre de Laurencia en que comparando a ésta con una liebre, le pide que la cace y se la entregue; y, ante la intervención del Regidor, abogando por el honor de Esteban y el del pueblo, riposta "¿vosotros honor tenéis?." La provocación va tan lejos que, acaso, en la mente de estos hombres empieza a prepararse la legítima defensa, del honor y de la vida de Fuente-ovejuna.

Dentro de la más simple estructura jurídica, los elementos constitutivos de la legítima defensa colectiva, aparecen bien claros y precisos; actos sucesivos del Comendador violatorios del orden y la moral social; provocaciones repetidas; burlas y amenazas continuadas; y, finalmente, muerte inminente de Frondoso y subsecuente violación de Laurencia; todo lo cual, unido al hecho de que el formular acusación contra la autoridad real hubiera sido dilatorio, contraproducente y casi ilusorio por las circunstancias especiales de privilegio de que disfrutaban en esa época los nobles, determinan que la única línea de conducta a seguir por los habitantes de Fuenteovejuna, sea eliminar por manos propias, la causa de tanto ultraje e ignominia, contra los derechos individuales y sociales; o de lo contrario cruzarse de brazos y esperar el resultado de la investigación y dejar que Gómez de Guzmán consumara los hechos: muerte de Frondoso y violación de Laurencia. Pero, además de tratar de evitar estas dos acciones delictuosas, tenían los fueteovejunenses que oponer actitud decidida al desafío diario y sancionar al que violaba derechos inalienables.

La natural bondad de este pueblo se pone una vez más de manifiesto, pues antes de tomarse la justicia por su mano, se reunen en concejo para tratar de buscar solución justa al conflicto existente. Será preciso que la voz de Laurencia se levante en ese concejo, con acento palpitante, irancundo, dolorido, lleno de una fuerza convincente, abrumadora; y, así vemos perfilarse la figura de esta mujer, que habla en nombre y como representante de las mujeres de Fuenteovejuna, con los distintivos de instigadora y autora intelectual de la próxima muerte del Comendador. Su actitud es decisiva, finalmente.

También es de destacar, que el primero en llegar a las habitaciones del Comendador es Esteban, el padre de Laurencia, luego es lógico suponer que éste le propinara la primera agresión, aserto que confirman las propias palabras de Esteban: Muere, traidor Comendador..."

Es evidente que Laurencia tiene la responsabilidad intelectual del crimen cometido, pues ella es la que decide a su padre, al concejo e indirectamente a los hombres del pueblo; sin olvidar que antes lo hizo con las mujeres, al arengarlas a que se cobraran su honor.

Es de significar que es al final de su imprecación, cuando Laurencia aboga por Frondoso, y ello en forma muy débil, porque su interés en la muerte del Comendador no está motivado por causas personales, sino que éstas tienen trascendencia social: restablecimiento del orden moral y de la integridad social; por ello cuando al principio decíamos que en este episodio vemos perfilarse y cumplirse los requisitos integrantes del derecho de legítima defensa, tomamos en consideración en que además de los riesgos al orden moral y a la integridad social, hay un ser humano que corre el peligro de perder la vida; y la única esperanza de salvarlo está en matar al Comendador, quien para corroborar lo que decimos, y como prueba concluyente, había dado ordenes de colgar a Frondoso antes de que penetraran los hombres en su palacio.

Por todas estas razones, examinada la muerte de Gómez de Guzmán desde el punto de vista de cualquiera de las teorías de la legítima defensa, ya en su forma subsidiaria, defensa pública; ya aplicando la de la antijuridicidad del acto, o bien la de los motivos determinantes, llegamos a la conclusión de que Fuenteovejuna ejercitó cumplidamente el derecho original y natural de defensa; de que no hay delito donde hay rechazo de una agresión injusta plenamente demostrada; y, por último, de que en la acción popular de Fuenteovejuna no existió la temibilidad y por tanto, de acuerdo con Florián, "no hay razón para la represión."

El teatro de Valle-Inclán: los esperpentos y el uso de las acotaciones en *"Luces de Bohemia"*

Ramón María del Valle-Inclán fue un hombre extraordinario, un sempiterno buscador de la gloria literaria, ante la cual depuso, en el transcurso de su vida, todas las ambiciones y apetencias del hombre común.

Dotado de una profunda intuición, orientada parcialmente, con una formación educacional defectuosa, por haber sido un mal estudiante, Valle-Inclán, alcanzó la categoría de un "literato puro". Trabajó tenazmente sobre el idioma y ahondó en sus posibilidades estilísticas, en persecución de un refinamiento intelectual lingüístico.

En sus años juveniles, bebió en los manantiales literarios de Barbey d'Arevilly, D'Annunzio y el Caballero de Casanova, de cuyas reminiscencias está impregnada su obra de novelador, poeta y dramaturgo.

Poseía afán de "singularidad", que en él se manifestaba de manera varia; ora profiriendo violentas expresiones sobre algo o alguien, sin la menor consideración o respeto; ora desafiando las costumbres y los gustos de la época, con su extravagante modo de vestir y el uso de su melena y barbas exageradamente largas.

En los inicios de su vida literaria, la popularidad de Valle es más producto de su violento carácter y extraña figura, que de su labor como escritor.

Sus primeros libros, tanto *Femeninas*, colección de cuentos basados en los paisajes gallegos como *Epitalamio*, escrito con un estilo refinado, elegante, lleno de ensueños y poesía, no tienen aceptación en el público, pero sí reciben el aplauso de la gavilla de jóvenes escritores que con él se reunen en habituales tertulias de cafés. Y, mientras su economía desciende a niveles de miseria, que él soporta con dignidad verdaderamente hidalga, su nombre empieza a flotar en el ambiente literario de Madrid.

En las columnas de "El Imparcial", publica en la edición de los lunes, en 1901, fragmentos de lo que había de ser más tarde su libro *Sonata de Otoño*, aparecido en 1902; al que le siguen por orden cronológico, *Sonata de Estío*, 1903; *Sonata de Primavera*, 1904 y finalmente *Sonata de Invierno*, 1905. Queda así perfilada en estas cuatro estaciones del año la figura de su Don Juan, el Marqués de Bradomín, personaje galante alrededor del cual giran y dan vueltas, como rondas de fantasmas, mujeres que se suceden en uno y otro libro, ya que las mujeres de Bradomín las veremos también en *Jardín Umbrío* y en *Jardín Novelesco*, libros de cuentos publicados por nuestro autor en 1903 y en 1905, respectivamente. Estos dos últimos libros están situados en el período genuinamente modernista en el que se desenvuelve Valle-Inclán, el cual se inicia con *Femeninas*, incluye *Cenizas*, *Corte de Amor* y termina con *Historias Perversas*, aparecida en 1909. En este período, por supuesto, no consideramos incluída a *Adega*. En el período siguiente, romántico, lírico y preciosista nos encontramos con *Flor de Santidad.*

Más tarde se adentra Valle-Inclán en su verdadero y más grande terreno; el campo dramático-épico y social al que le abren paso y le dan honor sus comedias bárbaras *Aguila de Blasón*, 1907, *Romance de Lobos*, 1908, y *El Resplandor de la Hoguera*, 1909; en las cuales sobresalen y se mantienen con carácter preeminentes los motivos de inspiración tradicional, no por su carácter histórico, sino por los elevados valores nacionales que las obras llevan consigo; influencia de raza, netamente romántica, con mezcla de energía y delicadeza; de idealización y realismo. Todo esto alcanzará su culminación máxima, en la segunda parte de este período, en la obra decisiva de Valle-Inclán, en sus llamados Esperpentos.

Con lo anteriormente expuesto no queremos en modo alguno, establecer una división o separación absoluta en la obra de Valle-Inclán, ya que este estilista del lenguaje escribe posteriormente obras tan disímiles y distintas entre sí, que podrían caber en uno u otro ciclo, de los anteriormente reseñados.

A la par que desarrollaba esta obra voluminosa y diferente se deslizaban los años de su vida envuelta en fantasías y sucesos anecdóticos. Con aire desfachatado, insultante, de una ironía mordiente incisiva, se paseaba por las calles de Madrid y hablaba de las aventuras fantásticas de su vida en México. Don Ramón ensamblaba —nos dice Francisco Madrid,— en su obra *La Vida Altiva de Valle-Inclán* —de una manera genial la sabiduría y la fantasía, la verdad y la mentira, la historia y la leyenda... y añade: "cuando se alejaba de la verdad y de la realidad estaba más cerca de ambas". Pero en honor a él, debemos consignar que Valle-Inclán era un hombre cabal, valiente, de espíritu rebelde y tenaz.Cuando no sabía algo tenía el valor de confesarlo. Todos los que le conocían bien, lo admiraban y respetaban. No negaba la tradición, decía: "que había que aceptarla en lo que tenga de vital y útil, mantenerla por mantenerla es ridículo y señala total carencia de imaginación".

Como poeta Valle-Inclán, entre los poetas españoles, es uno de los más ricos en la forma y en el sentido musical. Su poesía es una mezcla de inspiración popular y refinamiento francés; expresa la naturaleza de forma acariciadora, al estilo de Garcilaso. Tiene toda su poesía, en una palabra, el sabor melodioso y lírico de la poesía gallega, amalgamada con la forma épica y dramática de la poesía castellana, lo que hizo decir a Salvador de Madariaga: "Valle-Inclán, es un gallego asimilado por Castilla".

Entre sus creaciones, tenemos como ejemplo de su arte lírico-refinado al estilo francés, a *La Marquesa Rosalinda*; del lírico-popular, *Aromas de Leyenda*, donde el poeta canta en versos a su tierra natal, Galicia; y, en *Voces de Gesta*, su voz se alza dramática en tono épico.

Podríamos escribir, páginas y páginas enteras sobre la poesía de Valle-Inclán, pero como para nosotros, toda su obra es poética, vamos a hablar más que del gran poeta del gran dramaturgo que fue este "Hombre Renacimiento", como le llamara Ortega y Gasset, porque la lectura de sus libros: poesía, novela o drama, hacen pensar en aquellos nombres y aquellos grandes días de la historia humana.

Valle-Inclán, posiblemente, el más grande dramaturgo de su generación, es un artista raro, su literatura es ágil y bella y él es un hombre de otras épocas, una figura importante de todos los siglos.

Como escritor Valle-Inclán era un esteta del idioma, un auto-didacta genial, era la fantasía, estaba a favor de la justicia por el gesto, era un "Volcán del Renacimiento".

Amó profundamente al adjetivo, sintiendo por alguno de ellos, un verdadero culto, colocándolos unas veces antepuestos u otras yuxtapuestos al sustantivo, con el único objeto de darles mayor fuerza de expresión. Valle-Inclán siente placer en unir palabras, por ello muchas veces su estilo luce amanerado, pero de todo ello resulta una valoración de los vocablos y surge la renovación del léxico castellano. Cultiva las imágenes con una tenacidad extraordinaria, para hacerlas simplemente nuevas, originales y casi exclusivamente unilaterales. Estaba influenciado por los autores extranjeros en las comparaciones y en el arte de enlazar ideas lejanas, pero hecho ello con un estilo precioso y una inspiración única.

En esta faceta de su obra, al igual que en su poesía, nos encontramos los elementos lírico-refinado, lírico-popular y épico-dramático, cuyas más genuinas representaciones son, respectivamente, *Flor de Santidad*, *Romance de Lobos*, y las *Sonatas*.

Valle-Inclán, no emociona ni quiere emocionar. Es un verdadero estilista, con una originalidad única; un apasionado de la lengua castellana; un verdadero creador del lenguaje. Dice Ortega y Gasset; "que es de los autores contemporáneos uno de los que lee con más encanto y con mayor atención".

En alas de su originalidad artística, Valle-Inclán supera la clásica definición: "Teatro es la aspiración suprema del arte que debe recoger y reflejar la vida de un pueblo o de una raza", y, en sus obras, no nos habla de cosas humanas actuales, sino de una humanidad histórica inventada por él.

Su teatro es antiguo y moderno, selecto y artístico, con vicios dramáticos que su poesía fragante disimula. Es un teatro básicamente lírico con personajes a los cuales no les falta dramatismo, pero sí les sobra lirismo.

Presta especial atención a lo tipográfico. Hay en él una gran riqueza de evocaciones. Su forma y estilos son inconfundibles. "Su vocabulario es suyo, de la calle; de los cafés, del camino; nos dice Juan Ramón Jiménez.

Las obras de Valle-Inclán son difíciles de escenificar; y, sus personajes imposibles de caracterizar, lo que hizo decir a Pérez de Ayala que: "No han sido escenificadas sino simplemente representadas". Prescinde en ellas de la descripción detallada y de las consideraciones psicológicas, para darle paso sólo a la acción y las mismas, por falta de unidad de tiempo y lugar, son inadaptables a la escena, en la mayor parte de los casos, lo que deja la impresión de que el dramaturgo, en el fondo no intentara realizar teatro.

Valle-Inclán se produce contra el criterio, tradicional en el teatro español, en el sentido de estimar que la situación crea el escenario, afirmando que lo cierto es que el escenario es el que crea la situación. Para él, el mejor autor teatral será siempre el mejor arquitecto. Y, a corroborar su original concepción al respecto, vienen sus célebres acotaciones las cuales tienen para él valor sustantivo, ya que no las escribe, al igual que otros autores, al márgen de la obra o entre paréntesis, sino que el drama lo mismo lo vemos en el diálogo que en la acotación, dándole de esta forma ambiente y desarrollo a la acción. Las acotaciones en su obra podríamos dividirlas primariamente en dinámicas, en relación directa con la acción y en climáticas creadoras del paisaje, estas últimas pueden ser decorativas o iconográficas. Tanto unas como otras tienen por objeto ambientar la acción. Con esto no queremos significar que la acotación presenta aisladamente una u otra modalidad, sino que lo que la distingue es su completa estructura.

Es en la fase final de su obra, en las farsas y esperpentos, donde las acotaciones de Valle-Inclán alcanzan su plena madurez. Tanto en las acotaciones climáticas como en las iconográficas los sutantivos y adjetivos yuxtapuestos son muy frecuentes, al igual que los sustantivos puros y los adjetivos extravagantes. La frase nominal resulta imprescindible en las acotaciones iconográficas constituyendo ráfagas de luz y color donde se acentúa el garabato caricaturesco. En su construcción Valle-Inclán recurre a todos los recursos idiomáticos, lo que hace que su léxico sea más caudaloso, por la dilatación de la palabra con el empleo de prefijos y sufijos. También se observa, que las metáforas llegan a su objetivo final, brotando rápidas de su pluma.

En la obra de Valle-Inclán, los personajes con distintos nombres se repiten una y otra vez, al igual que las escenas, pero no por ello pierde su originalidad. Los problemas del hombre y su destino, se resuelven de una manera frívola. Para él "el mundo no es más que un esperpento y el hombre ha nacido para rabiar".

Estos personajes de Valle-Inclán son de dos categorías, cultos e incultos, los primeros los vemos en sus obras iniciales, los segundos en sus obras maestras, los esperpentos.

En la primera parte de sus obras, sus personajes, complicados al principio, se nos presentan, más tarde, en el curso de ésta, con una simplicidad absoluta, lo cual hace que Francisco Guarderas haya dicho de él que "dentro del concepto cultural era un retrógrado". Bien pronto se depura Valle-Inclán y emplea sólo la simplicidad absoluta. Ahora no trata más que de propagar un alma primitiva doliente y temerosa, pero a imitación de los Dioses. Ahora quiere exponer con palabras contundentes, las pasiones humanas desbordadas por encima de las conveniencias sociales. Su teatro, al igual que el modernismo, se inicia azul y termina en rojo y negro.

El Valle-Inclán de la post-guerra es muy distintivo a nuestro romántico autor de *Las Sonatas* y las *Comedias Bárbaras*. Ahora se nos muestra con una gran amargura y desengaño; satiriza y escarniza todo aquello que antes había idealizado. El Siglo XIX ya no es Carlista, es decir valiente, sino ridículamente Isabelino. En esta época, las cosas que más habían significado para él, se convierten en blanco de sus satíricos dardos.

Como modernista, vivió en un mundo de imaginación, donde encontraba un escape al realismo, pero pronto se dio cuenta que es difícil escapar fácilmente. Ante él tiene pues, dos caminos: declararse vencido o luchar; y, él escogió el segundo, encontrándose que estaba dotado de las mejores armas. Si la sociedad era la culpable, pues de ella había que vengarse, mostrándola en toda su mezquindad, y poniendo de manifiesto que los hombres que se creían importantes y grandes eran bien insignificantes. Ésta es la escenificación del esperpento.

En la literatura española con Valle-Inclán el sainete asciende a "esperpento" pero transfigurándose y convirtiéndose verdaderamente, no en un nuevo género, sino en un nuevo estilo, con una visión del mundo y de las cosas muy personal de Valle-Inclán. Se iniciaba ya la fase final de Valle-Inclán en *La Marquesa Rosalinda*, y adquiere enjundia en *Farsa y Licencia de la Reina Castiza*, en una palabra, el teatro de Valle-Inclán se ha convertido en farsa y esperpento. Ahora, en los esperpentos, el fenómeno es distinto, los personajes son seres humanos desfigurados, se asemejan a las marionetas.

En las farsas y esperperntos vemos las características de la caricatura y de la realidad; en ellos Valle-Inclán apela a toda la riqueza del idioma para contorsionar la realidad, y al desdibujarla no lo hace atendiendo, solamente, a las cosas inanimadas sino que abarca las cosas materiales. Valle-Inclán aplica sus ojos "cristales cóncavos y convexos" para alterar la realidad, acentuando sus rasgos más expresivos hasta obtener de ella una perfecta caricatura.

En el esperpento, lo que hay de nuevo en la obra de Valle-Inclán, no es la visión de las cosas, sino la forma en que él las mira, es decir, como si él se situara en un plano muy superior y desde allí mirara hacia abajo de forma despreciativa y sarcástica. En ellos se nos muestra como un gran resentido contra todo y contra todos. Refiriéndose al esperpento Pedro Salinas llamó a Valle-Inclán "Hijo pródigo del 98", ya que por primera vez se ocupaba del problema de España, aunque hay una distancia entre Valle-Inclán y los del 98, pues las quejas y sátiras de aquél no se basaban en su dolor ante la decadencia de España, sino en que él estaba desengañado.

Los esperpentos surgen de las farsas y escenas rimadas. Las características de ellos, las vemos en las *Comedias Bárbaras,* pero sin que éstas sean, por supuesto, el antecedente riguroso de aquéllos.

Es la literatura del esperpento realista, con gran tendencia crítica y satírica, constituyendo una verdadera creación con categoría estética.

En la etapa final de la obra de Valle-Inclán, la estética del esperpento informa sus creaciones cualesquiera que sea el asunto o naturaleza de las mismas; ya en *Farsa y Licencia de la Reina Castiza*, 1922; ya en *Los Cuernos de Don Friolera*, 1925; ya en *La Hija del Capitán*, 1926; ya en *La Cabeza del Bautista;* Valle-Inclán no hace más que denunciar con un realismo alucinante, la decadencia de España, reflejándola en sus célebres espejos cóncavos, con arte grotesco.

Esta forma literaria de Valle-Inclán aunque indiscutiblemente genial, es total y absolutamente destructiva, pues nos presenta una España desfigurada, donde los sentimientos de Patria, Familia y Religión, son conceptos vacíos, que él caricaturiza.

El más expresivo esperpento apareció publicado en la *Revista España* en 1920, bajo el título de *Luces de Bohemia*. En esta obra las acotaciones a la escena son una magnífica decoración de los frescos, aunque en algunos casos resultan inescenificables. Diálogo y acotación constituyen un todo perfectamente enlazado:

> Llega un tableteo de fusilada, el grupo se mueve en confusa y medrosa alerta. Descuella el grito ronco de la mujer, que al ruido de las descargas aprieta a su niño muerto en los brazos.[1]

---

[1] Ramón María del Valle-Inclán, *Luces de Bohemia.* Colección Austral, Espasa, Calpe, S.A. Madrid, 1961, pág. 102.

Seguidamente la acotación se hace acción, cuando la madre del niño dice:

¡Negros fusiles, matadme también con vuestros plomos!:[2]

El adjetivo enlazado por conjunciones copulativas es empleado con profusión:

> Aparece en la puerta un hombre alto, abotonado, escueto, grandes barbas rojas de judío anarquista y ojos envidiosos, bajo el testud de bisonte obstinado. Es un fripón periodista alemán, fichado en los registros policíacos como anarquista ruso y conocido por el falso nombre...[3]

Mantiene su tendencia a alargar el período al final del cual aparece el verbo:

> La taberna de Pica Lagartos: luz de acetileno, mostrador de Cinc, saguán oscuro con mesas, y banquillos, jugadores de mus, borrosos diálogos. — Máximo Estrella y Don Latino de Hispalis, sombras en las sombras de un rincón, se regalan con sendos quinces de morapio.[4]

Refiriéndose al esperpento *Luces de Bohemia* Fernández Almagro, nos dice: que en él, "el Esperpento se realiza típicamente".

En *Luces de Bohemia*, Valle-Inclán nos habla de la vida de un poeta modernista de odas y madrigales, Max Estrella, en quien vemos esperpénticamente caracterizado a Alejandro Sawa. No faltan en la obra los consabidos ambientes políticos y revolucionarios y las escenas en la Policía y Dependencias Estatales. Tipos madrileños, vida del hampa y mujeres de vida fácil, se mezclan en zarabanda caricaturesca, con los literatos de la época, para darnos el esperpento de una sociedad irrespirable.

---

[2] *Ob. Cit.*, pág. 102.

[3] *Ibid.*, pág. 119.

[4] *Ibid.*, pág. 26.

Por extraña paradoja, en la obra que estamos comentando, es el ciego Max Estrella, el único que ve la verdad de toda la vida miserable de España. En la Escena Duodécima, Valle-Inclán pone en boca de Max Estrella, su concepto del Esperpento cuando el poeta ciego, perdido por sus sueños, "en un Madrid absurdo, brillante y hambriento" nos dice: "El esperpentismo lo ha inventado Goya. Los héroes clásicos han ido a pasearse en el Callejón del Gato"... y añade... "lor héroes clásicos reflejados en los espejos cóncavos dan el Esperpento."[5]

Si frente a un espejo cóncavo, pusiéramos una bella imagen real, ésta se proyectaría totalmente deformada; luego toda realidad puede ser reducida a esperpento, al igual que de un retrato podemos obtener una caricatura. Solamente para ello bastaría, proyectar esa realidad en el espejo cóncavo, que es la fantasía humana.

En el caso de la vida española de la época, Valle-Inclán quería proyectar la fantasía sobre una realidad que fuese por sí un esperpento. –De aquí que, en la obra nos presenta una realidad de la vida española deformada por las costumbres y la inspiración literaria nacional.– Desde luego, todo esto lo presenta de modo bien exagerado para que la caricatura sea más grotesca. Eso es lo que él cree descubrir en la vida de España, cuando Max Estrella dice: "El sentido trágico de la vida española sólo puede darse con una estética sistemáticamente deformada". "España es una deformación grotesca de la civilización europea"..."La deformación deja de serlo cuando está sujeta a una matemática perfecta." La matemática a que se refiere Valle-Inclán, el mismo Esperpento nos la da: "Mi estética actual es transformar con matemática de espejo cóncavo las normas clásicas".[6]

En la obra *Luces de Bohemia* se nos presenta un Madrid viviendo del peor de los romanticismos. Se mencionan la Europa y la España de la Post Guerra; la Revolución Rusa; avanzadas en el arte y en la literatura; huelgas... La visión panorámica de Valle-Inclán en este esperpento no es nueva, lo que ocurre es que los personajes aquí no son muñecos como en las farsas, sino por el contrario seres vivos, pese a su aspecto de fantoches. Unos son

---

[5] *Ibid.,* pág. 106.

[6] *Loc. cit.,* pág. 106.

"tristes, largos y flacos; otros vivaces, chaparros y carillenos" pero todos con chalinas, pipas, románticas greñas y gabanes repelados, recuerdan el momento literario en que vivieron. Para que la visión sea más exacta, aparece Rubén Darío con su propio nombre, tal como lo ve el autor: "gesto egoísta de niño enfadado, máscara de ídolo, sonrisa cargada de humedad...[7]con recuerdos parisinos: Verlaine, los cabarets... A Ciro Bayo, prosista de gran mérito lo vemos caracterizado en Doy Gay. Dorio Gadex se nos presenta con su propio seudónimo literario. El mismo Valle-Inclán se auto-caracteriza en el Marqués de Bradomín. Hay alusiones a Don Benito Pérez Galdós, a Miguel de Unamuno y otros. Los personajes en general, tienen inspiración real.

El factor tiempo, es decir, la preocupación del presente con salida al futuro es de destacar en *Luces de Bohemia* y demás esperpentos, como si imprecisas ansias revolucionarias inquietaran el alma de Valle-Inclán. —En la obra que estamos comentando hay mordacidad, poesía, ternura, dolor, burla, inquietud y sarcasmo.—

Por último diremos, que en *Luces de Bohemia* Don Ramón María del Valle-Inclán, cambia su forma artística de ver a España y al Mundo, idea que patentiza en las frases finales de la obra cuando por boca de Pica Lagartos nos dice:

"El mundo es una controversia, a lo que exclama, rectificando Don Latino:

¡Un Esperpento![8]

---

[7] *Ibid.,* pág. 84.

[8] *Ibid.,* pág. 144.

Hispanoamérica

Delmira Agustini y Gabriela Mistral

La llamada "poesía feminista o femenina" del Postmodernismo hispanoamericano cuenta con el nombre de cuatro destacadas poetisas: la universal chilena, Gabriela Mistral; las uruguayas, Delmira Agustini y Juana de Ibarbourou y la argentina, Alfonsina Storni. Las tres primeras van a reflejar en sus poesías, por razones de índole personal, sus más íntimos conflictos interiores; mientras que, la última, Alfonsina Storni dará a su producción poética un tono distinto, quizás porque vivió una vida normal de esposa y madre.

En este trabajo analizaremos sólamente la producción poética de Delmira Agustini y Gabriela Mistral por considerar que el contraste entre ellas es más hondo y manifiesto.

La obra poética de Delmira Agustini está recogida en tres libros; *El Libro Blanco, Cantos de la Mañana* y *Los Cálices Vacíos*, publicados durante su vida.

Después de muerta aparecieron *El Rosario de Eros* (segunda parte de *Los Cálices Vacíos*, *Astro del Abismo* y *Alborada*, donde se publicaron una serie de poemas no impresos anteriormente, que no merecieron el honor de la prensa ni de los críticos.

Leyéndola, se da una cuenta, de lo dramático del fin trágico de la joven poetisa.

La obra poética de Delmira Agustini es de una gran originalidad, por cuyo motivo figuró ésta, en plano principalísimo en la lírica hispano-americana y su nombre entre los de los más destacados en materia poética, de nuestro hemisferio.

La originalidad de Delmira Agustini, como certeramente dice Alberto Zum Felde: "... no está en la forma, en la estética sino toda en la genialidad del temperamento, en la profundidad categorial de su vivencia lírica, en la revelación imperiosa del Subconsciente..." [1]

---

[1] Alberto Zum Felde, Prólogo al Tomo I *Delmira Agustini, Poesías Completas,* Editora Casa Losada, Buenos Aires, 1944, pág. 9.

Según la propia Delmira, la norma, la pauta y guía de su obra poética, era la espontaneidad, y no la disciplina rigurosa, lo que explica claramente las imperfecciones de gran parte de esa misma obra. Tenía ella, mucho de los escritores del período anterior, es decir, de los románticos, "en su excesivo lirismo, demasiado patético para ser sometido a la depuración metódica".[2]

El lenguaje, algunas veces es descuidado en la poesía de Delmira Agustini, de aquí que, algunas de sus composiciones poéticas ofrezcan el contraste de expresiones impregnadas de elegancia y belleza, mezcladas con frases de innegable mal gusto.

Los versos brotan de ella como catarata impetuosa, con la particularidad de que, a diferencia de los demás poetas de su categoría en aquella época, su poesía presenta gran desigualdad de belleza estética. Abusó de los vulgarismos retóricos comunes entre los poetas mediocres de ese período y como representante del movimiento imperante en la época, el Modernismo, usó y abusó de los términos comunes a este movimiento, lo que dio a su poesía amplio lujo decorativo sin gran valor. No obstante, de esto y de la calidad poética de sus obras, se vale para que su poesía salga triunfante y perdure y se levante hoy demostrando que la poetisa es una mujer genial "la única genial —según insinuara Rubén Darío— de cuantas mujeres han escrito en verso, en nuestra lengua, después de Santa Teresa".

La esencia de la originalidad de Demira Agustini radica en el sentido de su inspiración erótica. Pero su erotismo no es vulgar, no tiene nada que ver con el instinto primitivo de apetencias de los sentidos. Es un erotismo profundo e irreal, es una perenne ansia de escapar de la realidad y del mundo que la rodea, para ir en pos de una quimera forjada con las más íntimas esencias de su alta calidad humana; de ahí la forma ideal de su Deseo, que ella creía que, por nacer de sus entrañas, puro y limpio como el cielo que contemplamos, era noble, era bueno, era santo e iba más allá de la carne y de la vida.

Todo esto hace que su poesía pesimista y original sea un constante soñar; una serie de visiones extraordinarias, quiméricas, en contraste con la dura realidad de la Vida de la cual quería escapar y así lo expresa en su poema "Visión", en los siguientes versos:

---

[2] *Ob. Cit.*, pág. 11.

....
¿Acaso fue un marco de ilusión,
En el profundo espejo del deseo,
O fue divina y simplemente en vida
Que yo te vi velar mi sueño la otra noche?

En mi alcoba agrandada de soledad y miedo,
Taciturno a mi lado apareciste
Como un hongo gigante, muerto y vivo,
Húmedos de silencio.
Y engrasados de sombra y soledad.
....

Yo esperaba suspensa el aletazo
O el brazo magnífico; un abrazo[3]

Es conveniente aclarar que, pese a todo el erotismo sexual y no sensual, que tiene la producción poética de Delmira Agustini, ella no conoció más vida sexual que la de su matrimonio, pues según sus datos biográficos, vivió bajo la tutela de sus padres una vida más bien recatada y recogida.

Así pues, el erotismo en Delmira Agustini, es puramente producto de su despierta imaginación. Cuando publicó su primer libro *El Libro Blanco,* el asombro cundió entre los intelectuales de la época y eso que el erotismo en ese libro se manifiesta veladamente, pero para aquella época esto era ya demasiado, especialmente en una jovencita.

Hay en este libro el reflejo de una potencia mental impropia de los años de la autora, pues Delmira sólo contaba veinte años y nunca había frecuentado un aula universitaria.

El asombro fue tal que intelectuales del calibre de Vaz Ferreira llegó a decir, "si hubiera de apreciar con criterio relativo, teniendo en cuenta su edad, etc. diría que su libro es, sencillamente un milagro" —"usted no debiera ser capaz, no precisamente de escribir, sino de entender su libro." —"Como ha llegado usted, sea

---

[3] Delmira Agustini, *Obras completas*, Tomo I, Máximo García Editor, Montevideo, 1924, pág. 61.

a saber, sea a sentir, lo que ha puesto en ciertas poesías suyas, es algo completamente inexplicable".[4]

La obra poética de Delmira Agustini se ha hecho a base de una gran debilidad, la sexual, lo cual pesaba en ella, con fuerza enorme, así vemos que describe con una gran riqueza de expresión su paroxismo sexual en "Cuentas de fuego", cuando nos dice:

> Cerrar la puerta cómplice con rumor de caricia,
> Deshojar hacia el mal el lirio de una veste...
> La seda es un pecado, el desnudo es celeste...
> Y es un cuerpo mullido un diván de delicia.[5]

El ansia de esta mujer está claramente expresada en los versos finales de "El intruso":

> Y tiemblo si tu mano toca la cerradura
> Y bendigo la noche sollozante y oscura
> Que floreció en mi vida tu boca tempranamente:[6]

Pero más tarde, en el curso de la obra poética de Delmira Agustini, su erotismo sexual desenfrenado, puede tener algo de sublimación, ya que la poesía evoluciona y el tema sexual se eleva, prueba de ello son "El arroyo", y en "Desde lejos", donde el contenido profundo de la poesía se inmaterializa, pero aún en el fondo tiene que ver con el amor.

Delmira Agustini describe en qué puede consistir su propia vida, frustración, desencanto y conciencia de una imposibilidad en "Las alas".

El erotismo sexual de Delmira Agustini, fue tal que la llevó a la muerte.

Delmira Agustini es de las poetisas del siglo XX la de mayor calidad artística, fuerza de expresión, riqueza de imágenes, metáforas; y, la que mayor facilidad tiene para jugar con las palabras, lo cual no podemos encontrar en ninguna otra.

---

[4] *Ob. Cit.*, pág. 157.

[5] *Ibid.*, pág. 23.

[6] *Ibid.*, pág. 82.

En Delmira Agustini hay, como dijimos, una poesía artística, cuya suntuosidad evidencia una gran habilidad. Delmira es la primera de las poetisas del movimiento modernista. Por ser la primera en el tiempo es la más cercana a las formas de dicho movimiento, y la que, según M. Henriquez Ureña "Introdujo una nota de honda y sensual femenidad en la poesía modernista". En su poesía trata de huir de la vulgaridad una y otra vez. Su credo poético es el mundo onírico, pero para crearlo, tan distante de la vulgaridad del mundo circundante, es necesario, poseer la lámpara mágica que, transforme la materia en esencia poética. Delmira usó para ello la sinceridad. Al afecto en 1913 declaró, "si mis anteriores libros han sido sinceros poco meditados, estos *Cálices Vacíos*, surgidos en un momento hiperestésico, constituyen el más sincero, el menos meditado...Y EL MÁS QUERIDO".

"Si algún elemento de la realidad —escribió Emilio Oribe— aparece (en la poesía de Delmira), lo hace con la máscara del sueño, o ataviado a manera de imagen o símbolo, con el único fin de que el lirismo se apoye y encuentre representación concreta".

Empleó versos de arte menor; alejandrinos, raras veces versos de 16 sílabas, y endecasílabos. —De todos ellos, los últimos son los que se mantienen constantemente en su producción poética.

En su estilo poético el sustantivo es el elemento expresivo más importante, el cual antepone siempre al adjetivo, ya que en éste busca una califación y no una caracterización fundamental, en esto coincide con el más grande de nuestros místicos San Juan de la Cruz, salvando desde luego las distancias.

La literatura modernista era de carácter sensorial del cual Delmira no escapa. De entre ellas las más usadas fueron las sensaciones táctiles, habla de manos "afiladas", "líbidas", "pálidas", dedos "de ensueños", uñas "extrahumanas" y el abrazo, para ella "es de alabastro" "es magnífico".

En la obra breve de Delmira Agustini, el tema religioso no existe. —No le interesó como tema poético. Prueba evidente y clara de su panteísmo es su poema "Mi oración".

Mi templo está allá lejos, trás de la selva huraña.
Allá salvaje y triste, mi altar es la montaña.
Mi cúpula los cielos, mi cáliz el de un lirio;[7]

---

[7] Delmira Agustini, *Ob. Cit.*, pág. 57.

En otras palabras el sentimiento religioso, no era otra cosa, para ella, que producto de su mundo onírico.

Delmira encaja perfectamente en el "diagnóstico" que Nordan emite para los "místicos" decadentes: "cierta incoherencia de pensamiento, obsesión, excitabilidad erótica y una vaga religiosidad".

Tanto Delmira Agustini como Gabriela Mistral nos hacen pensar en la formación ideológica de los místicos, salvando las diferencias, desde luego, entre éstos y ellas y entre ellas entre sí, pues mientras aquéllos se acercan a Dios por la evasión de las cosas terrenas; Delmira —erotismo-sexual convierte en su dios a la criatura y Gabriela Mistral —erotismo-contemplativo —a la naturaleza.

La obra poética de Gabriela Mistral está recogida, principalmente, en sus libros *Desolación* (1922), *Ternura* (1924), *Tala* (1938), y *Lagar* (1954). En 1958, un año después de su muerte se publica su último libro de versos, *Recado: Cantando a Chile*.

Como consecuencia de su fracaso amoroso toda su producción poética está matizada de tonalidades crepusculares. Y como un arroyuelo que nace allá en las cumbres nevadas de cualquier pico heroico de la cordillera de los Andes, discurre, lento primero, pero luego avasallador, bajando a los valles vírgenes, buscando encontrar en el camino el torrente que detenga su paso para abrazarse a él, así floreció Gabriela Mistral, y así, llevando consigo en las aguas tormentosas de su río interior la gris sedimentación de su pasado tristísimo, dio a la luz el primer hijo, su inmortal libro *Desolación,* libro de su juventud y su obra capital.

Gabriela Mistral vuelca en este libro su dolor por la muerte del amado. Los temas sobresalientes son: el dolor, la maternidad, la religiosidad, la naturaleza y la poesía didáctico-moral, pero no sin que advirtiera el mundo asombrado, a través de sus páginas finales, su súplica dolorosa: Dios me perdone este libro amargo y los hombres que sienten la vida como dulzura me lo perdonen también. En estos cien poemas queda sangrando un pasado doloroso en el cual la canción se ensangrentó para aliviarme."[8]

---

[8] Gabriela Mistral; *Desolación, Ternura, Tala, Lagar,* Editorial Porrúa, S.A. México, 1973, pág. 51.

La poetisa se expresa en este libro con voz doliente y la poesía adquiere, a veces, un tono romántico. En "El encuentro" expresa el dolor y la frustración:

> Le he encontrado en el sendero.
> No turbó su ensueño el agua
> ni se abrieron más las rosas;
> abrió el asombro mi alma.
> ¡Y una pobre mujer tiene
> su cara llena de lágrimas![9]

En " Extasis" canta al amor truncado y al dolor que produce el rompimiento:

> Me habló convulsivamente;
> le hablé, rotas, cortadas
> de plenitud, tribulación y angustia,
> las confusas palabras.
> Le hablé de su destino y mi destino,
> amasijo fatal de sangre y lágrimas.
>
> Después de esto, ¡lo sé! ¡no queda nada!
> ¡Nada! Ningún perfume que no sea
> diluido al rodar sobre mi cara.
>
> Mi oido está cerrado,
> mi boca está sellada.
> ¡Qué va a tener razón de ser ahora
> para mis ojos en la tierra pálida!
> ¡ni las rosas sangrientas,
> ni las nieves calladas![10]

Expresa en "Volverlo a ver" sus ansias de mujer enamorada, pese a la traición:

---

[9] *Ob. Cit.,* pág. 22.

[10] *Ibid.,* pág. 32.

¡Oh, no! ¡Volverlo a ver, no importa donde,
en remansos de cielo o en vórtice hervidor,
bajo una luna plácida o en un cárdeno horror!

¡Y ser con él todas las primaveras
y los inviernos, en un angustiado
nudo, en torno a su cuello ensangrentado![11]

Gabriela Mistral es más aún, su fuerza radica en su sentimiento de amor y muerte. En versos alejandrinos en el primero de "Los sonetos de la muerte" nos dice:

Del nicho helado en que los hombres te pusieron
te bajaré a la tierra humilde y soleada.
Que he de dormirme en ella los hombres no
supieron, y que hemos de soñar sobre la misma
almohada[12]

Como su amor va más allá de la muerte, en el segundo de los sonetos canta a la unión con el amado:

Sentirás que a tu lado cavan briosamente,
que otra dormida llega a la quieta ciudad.
Esperaré que me hayan cubierto totalmente....
¡y después hablaremos por una eternidad![13]

En el tercero y último de este tríptico de sonetos, resume la historia de ese trágico amor y hace al Señor un ruego:

Y yo le dije al Señor: "Por las sendas mortales
le llevan. Sombra amada que no saben guiar!

---

[11] *Ibid.,* pág. 32.

[12] *Ibid.,* pág. 28.

[13] *Ibid.,* pág. 29.

> ¡Arráncalo, Señor, a esas manos fatales
> o le hundes en el largo sueño que sabes dar![14]

Y tenía que ser así, no podía el amado, sentirse paralelo en el sentimiento para quien era toda sensibilidad. La piedra se limita a eso, a ser dura, firme, permanente, hasta que un arroyuelo manso, dulce, leve, la acaricia y con el decursar del tiempo, pule los ásperos perfiles y la devuelve con una nueva faceta, con nueva belleza con un nuevo aspecto:

> ¿Qué fue cruel? Olvidas, Señor, que le quería,
> y que él sabía suya la entraña que llagaba.
> ¿Qué enturbió para siempre mis linfas de alegría?
> ¡No importa! Tú comprendes: ¡yo le amaba, le amaba![15]

En *Desolación* el vocabulario y la versificación son sencillos, carecen de las complejidades y complicaciones que se observarán en sus libros posteriores. Demuestra un aténtico sentimiento de dolor y un hondo sentimiento hacia la naturaleza. En ella busca la paz y la armonía:

> Nubes que pasáis,
> nubes, detened
> la fresca merced.
> Abiertos están
> mis labios de sed![16]

La Naturaleza es para ella fuente de consuelo:

> El pinar al viento
> vasto y negro ondula
> y mece mi pena
> con canción de cuna.

---

[14] *Loc. Cit.* pág. 29.

[15] *Ibid.,* pág. 34.

[16] *Ibid.,* pág. 45.

Pinos calmos, graves
como un pensamiento,

dormidme la pena,
dormidme el recuerdo.[17]

Su amor se vuelca también en la Naturaleza y así nos dirá en
"El Ixtlazihuatl":

Te doy mi amor, montaña mexicana
como una virgen tú eres deleitosa;
sube de ti hecha gracia la mañana,
pétalo a pétalo abre como rosa.[18]

Gabriela Mistral demuestra que su sentimiento hacia los niños
no tiene fronteras. Ellos son el centro poético de su segundo libro
Ternura (1924), poemario de cantos infantiles. Poesía "con niños"
y no "para niños" que nos recuerda a nuestro José Martí en
Ismaelillo. Ama a todos los niños, pero quizás con más intensidad
a los niños pobres y desamparados. Gabriela solía decir: "Mientras
más oigo a los niños, más protesto en contra mía, con una
conciencia apurada y hasta un poco febril...El amor balbuciente,
el que tartamudea, suele ser el amor que más ama. A él se parece
el pobre amor que yo he dado a los chiquitos".[19]

La poetisa se dirigirá a los niños con ternura, les hablará con
voz que sea caricia y les sonreía para que no teman; con sus
palabras más dulce les dirá:

Piececitos de niño,
azulosos de frío,
¡como os ven y no os cubren,
Dios mío!

---

[17] *Ibid.*, pág. 47.

[18] *Ibid.*, pág. 48.

[19] *Ibid.*, pág. 110.

Piececitos heridos
por los guijarros todos,
ultrajados de nieves
todos![20]

En otros versos tan tiernos como los anteriores expresará sus sentimientos maternales:

El mar sus millares de olas
mece divino.
Oyendo a los mares amantes,
mezo a mi niño.[21]

Manifiesta su temor de que el niño se le convierta en hombre y lo pierda en manos de otros u otras:

Que el niño mío
así se me queda.
No mamó mi leche
para que creciera.
Un niño no es el roble,
Y no es la ceiba.
Los álamos, los pastos,
los otros, crezcan

....

¡Dios mío páralo!
¡Que ya no crezca!
Páralo y sálvalo:
¡mi hijo que no se muera![22]

Tala (1938) es el libro de la madurez de Gabriela Mistral. Tiene un acusado tono de pesimismo y es más complicado estilística-

---

[20] *Ibid.,* pág. 90.

[21] *Ibid.,* págs. 55.

[22] *Ibid.,* págs. 76-77.

mente que los dos anteriores. Ahora los temas tratados previamente, la soledad, la muerte, la angustia, la alucinación son más persistentes y se distingue un nuevo sentimiento de la Naturaleza con una visión más abstracta. Es un libro más metafísico, más analítico. Los versos carecen de oropeles; de adjetivación y relucen por su sobriedad. A veces la exagerada sencillez desconcierta y el lector se ve ante un hermetismo distinto y tiene que hacer un esfuerzo para entender la intención final de la poetisa. Con voz alucinadora nos dice:

> Me lo robaron en día
> o en noche bien clara
> soplado me lo aventaron
> los genios sin cara;
> desapareció lo mismo
> que como llegara:
> tener daga, tener lazo,
> por nada contara.[23]

También aborda en este libro el tema del panamericanismo indoamericano, quizá influida por las ideas del escritor mexicano José Vasconcelos.

En el segundo de sus "Dos himnos" a América nos dice:

> ¡Cordillera de los Andes,
> Madre yacente y Madre que anda,
> que de niños nos enloquece
> y hace morir cuando nos falta;
> ....
>
> Otra vez somos los que fuimos
> cinta de hombres, anillos de anda,
> viejo tropel, larga costumbre
> en derechura de la peana,
> donde quedó la madre-augur
> que desde cuatro siglos llama,

---

[23] *Ibid.,* pág. 125.

en toda noche de los Andes
y con el grito que es lanzada.[24]

Agradecida ofrece sus versos a Puerto Rico:

Isla de Puerto Rico:
isla de las palmas,
apenas cuerpo apenas,
como la Santa,
apenas posadura
sobre las aguas;
Isla en amaneceres
de mí gozada
sin cuerpo acongojado,
trémula de alma.[25]

Y después de una catarata de rimas nos dirá en "Beber", plena
de ternura:

En la Isla de Puerto Rico,
....
y yo bebí, como una hija
agua de madre, agua de palma,
Y más dulzura no he bebido
Con el cuerpo ni con el alma.[26]

En "Cosas" se queja en ritornelo constante:

Amo las cosas que nunca tuve
con las otras que ya no tengo:[27]

[24] *Ibid.,* págs, 139-140.

[25] *Ibid.,* pág. 143.

[26] *Ibid.,* pág. 152.

[27] *Ibid.,* pág. 154.

En *Tala,* como hemos visto, Gabriela Mistral logra su madurez artística, posee un dominio perfecto de la técnica y la facultad creadora se ha ampliado extraordinariamente.

El último libro publicado por Gabriela Mistral es *Lagar* (1954), como su título lo indica, es un regreso de la autora a ver la vida desde su punto de vista de mujer de campo, en él hay menos abandono, menos soledad y por tanto mayor serenidad. En este libro alcanza la poetisa, situada en un nivel universal, su más elevado sentido de humanidad:

> Yo tengo en esa hoguera de ladrillos,
> yo tengo al hombre mío prisionero.
> Por corredores de filos amargos,
> y en esta luz sesgada de murciélago,
> tanteando como el buzo por la gruta,
> voy caminando hasta que me lo encuentro,
> y hallo a mi cebra pintada de burla
> en los anillos de su befa envuelto.[28]

Despliega su humanitarismo y solidaridad infinitos por los que sufren y con un amor sublime nos dice en "El reparto":

> Si me ponen al costado
> la ciega de nacimiento,
> le diré bajo, bajito,
> con la voz llena de polvo;
> —Hermana, toma mis ojos.
> ....
> Tome otra mis rodillas
> si las suyas se quedaron
> trabadas y empedernidas
> por las nieves o la escarcha.
> ....
> Acabe así, consumada
> repartida como hogaza

---

[28] *Ibid.,* pág. 195.

y lanzada a sur o a norte
no seré nunca más una.[29]

En *Lagar,* al igual que en los libros anteriores de Gabriela, los temas se repiten, pero el amor a la tierra se estiliza aún más y aparece su preocupación por el tiempo.

La poesía se hace más trascendente, más grave. La poetisa trata de evitar la melodía y la versificación y los acentos rítmicos se distribuyen en forma normal.

En cuanto a las leyes gramaticales, las pasó por alto, es decir, no se detuvo ante ellas, al efecto, usó términos incomprensibles; alteró el significado de algunas expresiones; empleó verbos inconcebibles y los sustantivos menos gastados. No fue ella, por supuesto, la primera en pasar por encima de las tradiciones en la poesía castellana, encontró el terreno allanado por la evolución modernista iniciada por Rubén Darío; dándole, no obstante, a su obra la característica especial que, repetidamente hemos dicho, la distingue, la cual radica en su amor intenso y único, del que derivan todos sus sentimientos de ternura a los niños, amor a la naturaleza y religiosidad.

Sin embargo aunque la poesía de Gabriela Mistral no tiene una métrica definida, sus más bellos matices se hallan en sus versos decasílabos, aunque casi no se atreve una a tomar un sendero u otro en la crítica, cuando halla maravillas de ternura y armonía en versos octosílabos, como los de su poema "Apegado a mí":

¡Yo que todo lo he perdido,
ahora tiemblo hasta al dormir!
no resbales de mi brazo:
¡Duérmete apegado a mí![30]

En definitiva, la musicalidad de la poesía de Gabriela Mistral, radica en su contenido y en su mensaje.

A *Desolación,* repetimos, le siguieron *Ternura, Tala* y *Lagar,* pero lo mismo hubiera sido que se quedara ahí, inconmovible,

---

[29] *Ibid.,* pág. 205.

[30] *Ibid.,* pág. 57.

mostrándonos los jacintos negros de su luto permanente. Hubiera sido de todas maneras Grabriela Mistral.

La extraordinaria trayectoria de esta excepcional mujer, dejó honda huella en la literatura en lengua española, por su expresión poética sencilla, contemplativa, bucólica, de tono tranquilo, sereno y dulce.

Contemplamos las obras de Gabriela Mistral y Delmira Agustini respectivamente, cada una con definidas características propias, cada una con perfiles decisivamente excluyentes, pero cada una con un atractivo individual que apega y subyuga.

Cuando, situados en la época en que cada cual vivió y en las emociones y experiencias que cada cual padeció, leemos la catarata de sus versos, blancos, serenos, dulces; o rojos, cálidos, alucinantes, es como si, sorprendidos por la serenidad de una noche estrellada, miráramos hacia arriba, a donde miran los que quieren acercarse a Dios, y comparamos la cambiante luminosidad de una estrellita lejana con la deslumbrante visión de una centella fugaz y no sabemos decidir cuál de las dos es más bella, en su esplendor rutilante, si aquélla que permanece durante siglos y siglos reflejando la luz o la que se quema ardiente, en una deslumbradora cascada.

La subjetividad encerrada en esta conclusión, es evidente; depende del estado de ánimo de cada cual. Si nos sentimos pasivos, simplemente limitados a la conformidad de lo inevitable, si reconocemos la inmutabilidad de las cosas, si la serenidad interior nos inunda, el astro lejano nos impresiona más; pero si dentro de nosotros mismos, tenemos viva la llama del deseo, de la angustia, de lo ilimitado, de la sed de nuevos horizontes, exaltada la sensibilidad afectiva a sus más altos niveles, entonces la estrella fugaz, que se quema breve, pero aterradoramente bella, llena de vitalidad propia, no reflejada de parte alguna, nos hiere los sentidos, opaca nuestro ánimo, y preferimos su incomprable explosión luminosa, al leve, permanente, infinito ofrecerse del astro ignoto.

A Gabriela la acunó la cordillera andina, y la besó el céfiro que procede del inmenso Océano Pacífico. Debió infundirle a la chilena, la cercanía del imponente Aconcagua, la inconmovible, serena, alba y dulce expresión de su poesía.

Gabriela es la paz de los gigantescos picos nevados. Gabriela es la ternura reflejada en las extensas playas que acaricia el Pacífico. Gabriela es síntesis de blancuras, —tanto de las cumbres que buscan tocar el cielo azul cobalto, como las extensiones áridas y solitarias del Atacama. —

Chile necesitaba su cantor, pero Gabriela no se ofreció en entrega total a su país, sino al mundo, a donde pertenecía y pertenece ahora por los siglos de los siglos.

Gabriela Mistral nació en Chile, como para enseñarnos que su polo opuesto, Delmira Agustini, suramericana como ella, también podía germinar en este continente, donde casi cabe pensar que sólo una de las dos cabía.

Delmira, en cambio es producto de la llanura, de la pampa uruguaya. Delmira es lo verde de los pastos inmensos. Delmira es tropical, atlántica. Delmira es la expresión contrastante, Delmira es el necesario contrapeso a la ternura contemplativa.

Ante todo lo blanco, cabe lo negro o lo rojo; ante el Pacífico cabe el Atlántico; ante los Andes, caben las llanuras; ante la paz espiritual y la conformidad ante el dolor, cabe el fuego interior, la sangre viva, la rebeldía ante la contención de los convencionalismos sociales.

Gabriela era inevitable para su época. Delmira es un asombro para su generación.

Casi cabe llegar a la conclusión de que Chile tiene sus llanuras que amansan la fiereza de los aterradores pero inmensamente bellos Andes, en la poesía mansa, conformista, tierna de Gabriela, como cuando ante la cuchillada del dolor de saberse estéril, clama llena de angustia, pero sin rebeldía:

> ¡Padre nuestro que estás en los cielos
> por qué te has olvidado de mí![31]

y que Delmira representa, dentro de la pampa uruguaya, el candente volcán, rojo, cárdeno, rugiente, necesario dentro de la llanura monótona, cuando nos dice, subyugadora:

> "Mi cuerpo es una cinta de delicia;
> glisa y ondula como una caricia".[32]

---

[31] *Ibid.*, pág. 27.

[32] Delmira Agustini, *Ob, Cit.*, pág. 77.

No sabe uno cuál analizar primero, porque con la última que uno analice, nos quedará dentro, o bien el ansia de acunar la rubia cabellera de una niña ansiosa de materna caricia, o el escozor insomne del amado ausente, del deseo, de la lúbrica exaltación de la sensibilidad.

Porque cada cual, es maga, artífice sin par del sentimiento; sólo que Gabriela refleja la angustia de una mujer que amó en sus años primeros, con la intensidad que sólo cabe en quien descubre ese incomparable sentimiento por primera vez; lo atesora en las manos como una frágil florecita mañanera que se abre a la caricia del sol, y que cuando uno quiere atesorarla para sí, eterna, siempre viva en sus colores originales, se le deshace de repente entre los dedos ansiosos, para ya no volver a ser jamás las misma flor original.

Ya no habrá otra. Ya no vendrá nada igual. No cabe buscar en otra fuente. No cabe alimentarse en otros labios. No cabe buscar su mismo perfume en otra flor. Es lo irremediable. La renunciación.

En cambio Delmira, a pesar de su juventud, casi sin base cultural, adivinó desde el principio dónde estaban las fuentes supremas de la vida. Supo darle salida a su tensión emocional y a sus inquietudes síquicas a través de un torrente de versos que asombró a la América y al mundo por lo atrevido del tema en el sentimiento desatado de una mujer.

No fue necesario que amara a uno u otro, únicamente, exlusivamente. Delmira era la representación del deseo, que contenido en los años mozos, y por los convencionalismos sociales, estalla irrefrenable, sin que tenga para ello que basarse en un amor existente, real, verdadero, único, como el de Gabriela, sino en un amante ideal, o simplemente en el hombre, pura y llanamente, ansiado y deseado, sea éste el que fuere, eterno, permanente, o leve y transitorio. Lo vital, lo importante, era querer, amar, soltar las blancas palomas, castas, límpidas, para que volaran lejos de ella, y acunar entre sus brazos, las estremecedoras serpientes del sexo y del deseo.

Por supuesto, era lógica consecuencia inevitable que cada una desplegara ante el mundo, las ondulantes banderas de su producción poética, con los netos perfiles que anterioremente se relacionan, sin inhibiciones de clase alguna.

La vida intensa, pero breve de Delmira, no le permitió el derivar lento, pero firme hacia una poesía superior, que sin duda hubiera dejado huellas imperecederas en las letras americanas, con perfiles más precisos que los que realmente dejó. No bastaron los brevísimos años en que floreció arrebatadoramente atrayente, para superar a la chilena, que a golpes perfectos de cincel, talló el monumento a la belleza poética que es toda su producción literaria.

Gabriela tuvo tiempo de mostrar todas sus facetas; tuvo tiempo de disfrutar de otras formas más leves, o quizás más permanentes del amor, en todas sus infinitas variantes. Gabriela tuvo tiempo de sonreír calladamente, pero estremecida de orgullo interior, al ganar en 1945 el premio Nobel de Literatura, que sin duda merecía. A Gabriela, dentro de los límites de su soledad inmensa, le fue deparada la admiración mundial, que ella modestamente rechazaba, ansiosa como estaba de una rubia cabecita, de una canción de cuna, de una cantarina voz infantil. A Gabriela se le otorgaron galardones inmarcesibles, por su país y por otros. A Gabriela en fin, se le ofrecieron todas las oportunidades para que volcara sobre todos, la cascada tierna y cristalina de sus versos dulcísimos, y aún todavía, para los que la admiramos profundamente, sabedoras de su fina sensibilidad de mujer, nos parece poco el tiempo en que esta "Supernova" centelló en el firmamento de la literatura mundial.

A los que admiran a Delmira les duele su muerte temprana. Quizás, se dicen a sí mismo, Delmira hubiera superado, dentro de su estilo personalísimo, los perfiles gloriosos de Gabriela. Tal vez, —piensan los que la admiran— Delmira hubiera sembrado el firmamento literario de una constelación de poemas, destinados a supervivir por siempre.

No hay duda de que ese camino llevaba; y, así lo hacía pensar su creciente producción poética extraordinaria, de amplios lineamientos lúbricos, que mantenían en escozor constante los círculos literarios que, enfebrecidos, absorbían cada una de sus creaciones.

Pero para Delmira estaba reservada la suerte de los héroes, que mueren jóvenes. Si Delmira hubiera muerto "prosaicamente" — como diría Martínez Villena—, nos hubiera desconsolado a todos, o tal vez se hubiera mencionado el hecho "sotto voce", como si un leve declinar a través de una de las tantas enfermedades que abruman a la doliente humanidad, matizara desagradablemente, la silueta púrpura de Delmira, representación de lo prohibido, de lo desconocido, de lo lúbrico, del deseo.

Y Delmira se apagó, para siempre, a través de lo que era natural; a través de un drama pasional que asombró a su país, pero no a su generación literaria.

Si nos fuera dado escoger a cada cual, la muerte que prefiriera, cuantos o cuantas como ella, lo hubieran preferido así, consumidos de amor o de deseo, materializando físicamente lo que cantaron a través de sus versos; viviendo cada uno de los últimos minutos, a solas con el amante; consumiéndose luego poco a poco, en una sóla larga noche de deseo satisfecho a plenitud, o de un sólo, seco, restallante pistoletazo.

Si nos detenemos a pensar en el final de cada cual, casi que tenemos que concluir que desde que asomaron sus ojos al mundo de las letras hispanoamericanas, podía haberse predecido el final que cada cual tuvo. Pero nadie quiere pensar en ello, sobre todo cuando nos sumergimos en la cascada tenue, dulcísima, cálida, leve, musical de los versos de Gabriela o en las crujientes llamaradas crepitantes, atormentadoras, insaciables de la poesía de Delmira.

El contraste entre la producción poética de una y otra es obviamente evidente. Sin embargo, como quiera que toda conclusión personal es reflejo subjetivo de la propia individualidad, casi que teme una emitir una opinión en un sentido u otro, sabedora de lo inquisitivamente aterrador que es todo razonamiento ajeno.

No temo, sin embargo, amparada en mis personales convicciones y gusto, puramente apreciadores de la armonía, la belleza y el arte y musicalidad de la poesía, declarar que admiro a Gabriela Mistral por la ternura infinitamente dulce que reflejan sus estrofas desconsoladoras; por la sencillez luminosa y claridad "aparente" de sus versos, digo "aparente", porque un poema de Gabriela exteriormente fácil de interpretar tiene implicaciones interiores de gran hondura poética. También me entusiasma la nota nacionalista, indoamericana, carente de militarismo político; así como, su sencillismo estético; su culteranismo existencial y religioso.

Rubén Darío

Con Rubén Darío, el abanderado de la revolución literaria más importante de las postrimerías del siglo XIX, la poesía hispanoamericana adquiere perfil propio, desde que se inicia el movimiento revolucionario que en nuestras letras constituyó el modernismo, producto del parnasianismo y el simbolismo francés. Pero el modernismo hispanoamericano aunó los tres rasgos del modernismo en arte y literatura: vuelta a la naturaleza como fuente de ingenuidad y sencillez —la resurección de la Grecia antigua—; vibración de la vida de la época y revelación artística del misterio; y la reivindicación de los supremos derechos de la forma, en defensa de la aristocracia de ésta, es en esto, en lo que se aproxima a la revolución de los parnasianos franceses, no así, en la mal llamada impasibilidad de éstos, o mejor aún, en su lirismo abstracto, que no tuvo mucho eco en el temperamento emotivo y vibrante, por idiosincracia, de Rubén Darío y sus contemporáneos poetas hispanoamericanos, que se inclinaban a no disfrazar plasticamente sus emociones, a la manera parnasiana, salvo contadísimas excepciones.

Al propio tiempo, la escuela simbolista francesa, tuvo repercusión en el movimiento revolucionario de América, quizás porque el lirismo abstracto de ésta se manifiesta en forma menos velada. También, otra escuela poética francesa con influencia en nuestro modernismo, fue el decadentismo, palabra que algunos usaron en forma despectiva, porque en esta escuela, de fines de siglo XIX, que floreció en Francia con Verlaine, se sintetizan, de manera cabal, el espiritualismo de nuestro modernismo hispanoamericano, en ese arte desinteresado, sencillo y sin consecuencias sociales.

Rubén Darío, con la publicación de su manifiesto literario: *Azul,* en 1888, marcó con caracteres indelebles la fecha que en nuestro continente y en el mundo del arte, es símbolo de la revolución literaria del siglo, que se llamó: el modernismo. En esta época *Azul,* fue un libro de gran atrevimiento, pero más grande aún fue la audacia de sus versos de diez y siete sílabas y el dodecasílabo de seguidilla, que constituyen, desde ahora, conquistas del modernismo. También vemos en él nuevas combinaciones métricas, tales como: el soneto libre, el soneto a la moderna, el soneto de versos alejandrinos, a la manera francesa, con versos de doce y diez y siete sílabas. Pero no eran, sólamente, innovaciones relativas a la forma en cuanto al verso, sino también a la esencia artística, en la que el poeta se nos manifiesta —tanto en aquél como en la prosa— y así vemos en *Azul,* que nuestro Rubén es a la par que un rey del verso, un príncipe de la prosa.

Antes de *Azul,* Rubén Darío había escrito algunas obras tales como: *El Ensayo* (1880), *Epístolas y poemas* a las que le cambió más tarde el nombre por el de *Primeras notas* (1885), *Abrojos* (1887) y *Rimas* (1888).

Después de *Azul,* Rubén Darío, en Buenos Aires, realiza una campaña divulgadora de las obras de muchos escritores que, en una u otra forma, tenían relación con el movimiento modernista, y así la América española, conocerá *Los raros* (1886), crítica literaria de Darío, especie de guía del movimiento literario contemporáneo; *Prosas profanas* (1896), poemario con alma, gesto y rostro, la consagración de Darío es total y absoluta; *España contemporánea* (1898); segunda edición de *Prosas profanas,* (París, 1901); *Cantos de vida y esperanza* (1905) en que el poeta conserva la misma prestancia aristocrática, pero presenciamos la crisis del esteticismo de la prosa. No hay en él rompimiento con el pasado sino un cambio de escala de valores. Es como un comienzo de otoño, vuelta a la preocupación social, reaparecen, pero con las virtudes de un estilo soberbio, las actitudes de Darío anteriores a *Azul,* —la política, el amor a España, la conciencia de la América española, el recelo a los Estados Unidos y normas morales—.

En la tercera edición de *Cantos de vida y esperanza,* el poeta se pregunta, después de una larga reflexión, ¿qué es el arte, el placer, el amor? ¿qué es el tiempo, la vida, la muerte, la religión...? Es éste, el más notable de los libros que escribiera Darío, obra de madurez en que, la inspiración del poeta, alcanza el cénit y ya no tendremos al poeta de una generación sino al de un continente que, con visión de futuro, percibe claramente, que el modernismo debe ser sustituído pues le falta algo, y en este libro vemos como un vislumbre de lo que será el post-modernismo. Darío empieza a buscar el fondo sin que por ello renuncie a la forma, y con esto les dice a los poetas venideros, la forma que yo les dí tenía contenido tomado de la cultura francesa, así pues varíen su contenido, que no es nuestro, sino prestado y dénle uno auténticamente nuestro.

Más tarde publicará *El Canto errante* (1907); *Poema del otoño y otros poemas,* (1910); y, *El Canto a la Argentina y otros poemas,* (1914).

Parnasianismo, Simbolismo y Modernismo en Darío

Rubén Darío, templado por "el fuego de los trópicos ardientes", por el brillo animador de las auroras y ahitas sus pupilas de colores excesivos y sus oídos de rumores de la selva de las tierras americanas, anunciará a España un nuevo valor para la poesía latinoamericana, la que con él adquiriría ante el viejo solar, la mayoría de edad. Nuestro poeta, auténtico genio español, caldeado por el ambiente tropical y en contacto con la cultura francesa del siglo XIX, nunca dejará de rememorar en sus versos y en su prosa toda, "el recuerdo de la ardiente tierra natal", el filón de la raza, que existe en el fondo de su espíritu, pese a su cosmopolitismo. Con esto queremos refutar el criterio de los que han dicho que Darío era más europeo que americano, pero no negamos sus preferencias por Francia, ni la influencia que sobre él tuvo el movimiento simbolista francés, en cierta época de su vida y de su producción, influencia explicable ateniéndonos a la órbita artística del siglo.

Era consecuencia lógica, que en América, naturaleza en medio de la cual todo invitaba al símbolo, nuestros escritores y entre ellos Rubén el primero, temperamento sensual y de fogosa imaginación, se sintieran atraídos por el movimiento francés que tanto hablaba a los sentidos, por eso su personalidad encajaba mejor en la metafísica subjetiva del Simbolismo que en la impersonalidad del Parnasianismo del que tomaron, no osbtante, la forma que halaga la vista. Entre los representantes del Simbolismo, Rubén Darío se sintió especialmente atraído por Verlaine, con quien tuvo varios puntos de contacto —vida bohemia, sensualismo, arrebatos místicos y preocupaciones religiosas—. Pero el modernismo, en prosecución de su carácter esencialmente autóctono, creará una sensibilidad nueva, a la que también dará nuevas formas de expresión. Rubén empezará su ardua labor innovadora, aprendiendo de los parnasianos franceses "la manera de adjetivar, la aristocracia verbal y algunas licencias sintácticas" y con todo esto, con un estilo brillante nos dará una nueva forma más que un nuevo pensar. El Simbolismo en su misión de dar forma acabada a la labor renovadora, liberará a la poesía española de las formas fijadas de antemano, sólo una regla tendremos presente: la emoción del poeta.

Tomará Rubén pues, de los parnasianos, la adoración a la forma y al color y de los simbolistas el ritmo interior y el culto a la música, ya que eran éstos los elementos que más se avenían con su manera de ser, dándole de esta forma, elemento personal a su obra.

Él mismo nos dirá en su libro *Azul,* la promesa poética, se compondrá de un puñado de cuentos y poesías que podrán clasificarse de parnasianas. Sin embargo el rigorismo formal del Parnaso está ausente en toda la obra de Darío y además el poeta no conoce aún los simbolistas, pero es en su realización poética *Prosas profanas*, subordinación del verso al ritmo interior y sobre todo a la musicalidad, donde palpamos a Francia, al Simbolismo y a Verlaine, de manera tal que el mismo Darío nos dice: "Abuelo, preciso es decirlo mi esposa es de mi tierra, mi querida de París". Más pronto oye la voz de la sangre —soy un nieto de España, soy un hijo de América" y nuestro Rubén se nos mostrará en toda su plenitud en *Cantos de vida y esperanza*, canto a los hombres que han hecho grande a España, esperanza de que la solidaridad hispanoamericana sea la divisa con que ambas tierras envuelvan en una misma interrogante sus destinos.

Es a partir de esta obra que el espíritu hispánico de Rubén aparecerá en tonos variados y en matices distintos, que van desde su afirmación de españolismo hasta su fé inconmovible en el futuro de la Raza.

Veamos ahora, separadamente, cada uno de estos aspectos, en la obra poética de Rubén Darío.

Parnasianas

De *Azul* no analizaremos ninguna composición poética, ya que todo el libro es más parnasiano que simbolista, en él Darío hizo lo contrario a los románticos, no darle valor a nada ya que la característica del Parnaso es tomar los elementos descriptivos del mundo real y al hacerlo no pierden de vista el fondo. Cogían el mundo griego y lo trasladaban a su poesía, ya que la mitología griega no es más que la conjunción de lo sexual y lo sensorial.

Darío empieza pues, aceptando primero a los parnasianos, porque llevaba en él esa conjunción y el parnasianismo le permitía expresar eso y se lo hicieron sentir primero que los simbolistas que él aceptaría después.

Darío aun cuando empieza a ser simbolista en *Prosas profanas,* tiene una gran variedad de composiciones al estilo parnasiano, en dicho libro tales como:

"Era un aire suave". Es maravillosa. Esta hecha a base de cuartetos que convierte en versos de seis, once y doce sílabas y le da la consonancia de una cuarteta de arte menor.

> Era un aire suave, de pausados giros:
> el hada Harmonía ritmaba sus vuelos,
> e iban frases vagas y tenues suspiros
> entre los sollozos de los violoncelos.[1]

Refleja el ambiente versallesco del siglo XVIII, una frivolidad organizada, simétrica, que Darío capta de forma genial, por la gran capacidad que poseía el poeta para absorver el mundo todo. Lo sensorial y lo sexual se encuentran muy quintaesenciados, como lo ocultaban aquellas damas y caballeros versallescos.

En cuanto al tema de la composición —una fiesta de Versalles— es intrascendente porque el poeta no quiere desarrollar idea de ninguna índole, lo que quiere es unir la melodía y trasladarnos a un país de ensueño. Que termine en forma real, no le interesa a Darío, pues para saber lo que es realidad hay que salir de la idealidad y ver lo que es aquélla. Quede aclarado que ésta es "poesía de funcionario", con ella Darío demuestra que se puede hacer arte sin ideas, que aquí no se buscan, pues el poeta sólamente busca el deleite.

"Sonatina". Es una poesía en la que Darío logra la musicalidad máxima:

> La princesa está triste...¿Qué tendrá la princesa?
> Los suspiros se escapan de su boca de fresa,
> que ha perdido la risa, que ha perdido el color.
> La princesa está pálida en su silla de oro,

---

[1] Rubén Darío, *Poesías Completas,* Aguilar, Madrid, 1961, pág. 615.

está mudo el teclado de su clave sonoro,
y en un vaso, olvidada, se desmaya una flor.[2]

Para escribirla tomó como modelo a las Cantigas de Alfonso X
el Sabio, cuyos versos son endecasílabos ritmando 1 y 3; 2 y 4;
5 y 6. Ahora Darío va a convertir la sixtina en versos alejandrinos
—de catorce sílabas con dos hemistiquios— no usará Darío los
hemistiquios sino el acento rítmico. Del verso de catorce sílabas
pasará al de diez y seis; cambiará la rima, la que será de 1 y 2; 3
y 6; y 4 y 5, e intoducirá dos acentos rítmicos: La prince/sa está
tris/te...Qué tendrá la princesa?

El tema de la poesía es intrascendente; una princesa que no
tiene nada que hacer y se pone a soñar. En cuanto al contenido,
éste no existe porque no le interesa al poeta. Esta es una poesía
sólo de forma que emociona por su delicadeza.

"Blasón". Son cuartetas decasílabas. En ella sólo introduce un
acento rítmico:

> El olím/pico cisne de nieve
> con el á/gata rosa del pico
> lustra el a/la eucarística y breve
> que abre al sol co/mo un casto abanico.[3]

El tema, es el cisne, como elemento decorativo aristrocrático
pues el cisne es el animal estúpido que sólo sirve de elemento
decorativo y de distinción. Al estar el cisne ligado a lo sexual
vemos que la poesía tiene elementos decorativos, aristrocráticos
y sexuales.

En esta composición poética el juego de metáforas es sublime.
Maneja elementos reales y los idealiza hasta convertirlos en
ideales.

"Responso a Verlaine". Es la apoteósis de *Prosas profanas*. En
ella vemos el fondo y la forma, pero el fondo está dominado a la
perfección por la forma. En cuanto a las estrofas, las tomó de los
románticos franceses, por cuanto la combinación de dos alejan-

---

[2] *Ob. Cit.*, pág. 623.

[3] *Ibid.*, pág. 624.

drinos con un verso eneasílabo, era desconocida en nuestra lengua, con ella logra Darío un efecto demorado.

Sólo tiene dos acentos rítmicos: uno en "olímpico" y el otro en "sacro" porque quiere el poeta producir efecto triste, fúnebre, de dolor —logrado con el efecto retardado.

> Padre y maestro mágico, liróforo celeste
> que al instrumento olímpico y a la siringa agreste
> diste tu acento encantador;
> ¡Panida! ¡Pan, tú mismo que coros condujiste
> hacia el propíleo sacro que amaba tu alma triste,
> al són del sistro y del tambor!
>
> Que tu sepulcro cubra de flores Primavera;
> que se humedezca el áspero hocico de la fiera,
> de amor, si pasa por allí;
> que el fúnebre recinto visite Pan bicorne;
> que de sangrientas rosas el fresco Abril te adorne;
> y de claveles de rubí.[4]

Verlaine fue para Rubén el poeta máximo, en él encontró el modelo predilecto de la musicalidad conjuntamente con la combinación de elementos cristianos y paganos. Es un panida que lleva todos los ecos de la naturaleza. Al final lo lleva al cristianismo al llevarlo a la cruz.

> Y huya el tropel equino por la montaña vasta;
> tu rostro de ultratumba bañe la luna casta
> de compasiva y blanca luz;
> y el Sátiro contemple, sobre un lejano monte,
> una cruz que se eleve cubriendo el horizonte,
> ¡y un resplandor sobre la cruz![5]

El fondo está dominado por la forma poética y el valor de la composición está en la combinación de ambos elementos: fondo y forma.

---

[4] *Ibid.,* pág. 667.

[5] *Ibid.,* pág. 668.

En esta composición poética de altos calibres hay en el poeta más influencia parnasiana que simbolista.

"Palimpsesto". Es la poesía más arbitraria de Darío; cada estrofa tiene diferentes números de versos, radicando en ello la agilidad y movimiento de la composición. Esta es una poesía puramente descriptiva a base de elementos sensoriales. Esta riqueza descriptiva es extraordinaria, todo se describe en ella, incluso lo sexual.

Con *Prosas profanas*, Darío lleva a la poesía española, el acento rítmico en el verso, que posee en abundancia la poesía francesa mientras que la española lo tiene en la estrofa. Al hacerlo, Darío introduce un carácter melódico en el verso. En este libro, Darío se propone la perfección formal de lo poético y para obtener esto es necesario que la forma lo domine todo, por ello lo esencial en él es que la forma prevalece sobre el fondo, que no le interesa nada al poeta, siendo este libro el que en español gana la palma de subyugar al fondo y dominar la forma, conseguir que la palabra se convierta en sonido, en música, fue el logro de Darío que en esto tiene magia. Extasiar a los que leen u oyen un poema es su objetivo; y, esto es "el arte por el arte".

Simbolistas

"Autumnal", poema de su libro *Azul* tiene implicaciones simbolistas en que, el predominio de lo simbólico es al modo tradicional.

En este poema los dos sentimientos, sexual y sensorial los presenta muy diluídos y tan igualados que casi ni se notan. Logra dominar los dos y al igualarlos en su forma, los anula y al anularlos surge lo espiritual, que está por encima de la materia. Lo espiritual ha subyugado a las otras dos formas que sí están ahí, pero dominadas, igualadas y anuladas, pero que se revelan a través como de un recuerdo y el conjunto ha quedado dominado por lo espiritual, que hace presentarse al mundo sensorial, imaginado como espiritual idealización del mundo real.

Es una composición puramente poética en que la espiritualidad trasforma la realidad en algo inspirado:

> Sobre la cima
> de un monte, a medianoche,
> me mostró las estrellas encendidas,

Era un jardín de oro
con pétalos de llama que titilan.
Exclamé:_____ Más ...[6]

Aquí, la realidad no se ve, se inspira.

En "El coloquio de los centauros" de *Cantos de vida y esperanza* vemos una combinación de lo parnasiano y lo simbolista, aunque el poema es realmente simbolista. Es el poema en que vemos la variación del poeta de *Prosas* al de *Cantos*. En su forma este poema es parnasiano, pero hay en él pensamiento profundo acerca de la realidad: ¿qué es la vida?; ¿qué significa ésta?; ¿qué es la realidad?; es una especie de pensamiento filosófico. Así pues, en la forma, el poema es parnasiano y en el fondo simbolista.

En cuanto a la forma es la del poema anónimo del "Mío Cid". Introduce el acento rítmico que es en éste más intenso que en el del Cid, por eso dice "vino nuevo en odres viejos".

Con la musicalidad —el poema del Cid tiene carácter descriptivo— busca Darío algo profundo: la reflexión, el pensamiento oculto, escondido que es, el tema de la poesía:

Van en galope rítmico. Junto a un fresco boscaje,
frente al gran Océano, se paran. El paisaje
recibe, de la urna matinal, luz sagrada
que el vasto azul suaviza con límpida mirada
Y oyen seres terrestres y habitantes marinos
la voz de los crinados cuadrúpedos divinos.[7]

El centauro, representa al hombre: "animal racional", fuerza de la vida y de la materia. Era el representante de la vida en la mitología; fuerza de la materia y del espíritu. "Quirón" es un centauro que representa al hombre. Cuando dice: "El monstruo, siendo el símbolo, se viste de belleza", se refiere a sí mismo, es autobiográfico.

El tema de la composición es el sentido de la realidad, porque el mundo es teleológico, es decir, que tiene un fin.

---

[6] *Ibid.*, pág. 584.

[7] *Ibid.*, pág. 641.

La poesía es de un gran simbolismo, es quizás el más grande de los poemas de Rubén Darío.

En su libro *Cantos de vida y esperanza*, hay poemas representativos del libro en general, como poesía simbolista:

"La marcha triunfal". Es una transición de lo parnasiano —descriptivo —a lo simbolista —lo íntimo.

En su forma exterior está hecha de efectos musicales, es la que más resonancia musical tiene. El desfile es descriptivo y hay llamada a lo interior. Combinación de lo parnasiano con lo simbolista, con una riqueza extraordinaria que marca desde el punto de vista de lo parnasiano hasta el punto de vista interior de los simbolistas. El efecto principal, es la sonoridad. En el aspecto descriptivo, nos pone de manifiesto el paso, la música de una marcha, sin faltarle la llamada simbolista a la vida interior.

"Los cisnes". Pertenece esta composición al simbolismo, siendo el poema más simbolista de todo el libro, ya que además de ser simbolista en la técnica, es una poesía simbólica en sí misma. En ella está recogido el pensamiento de Rubén Darío, el programa de su vida poética.

El poeta expresa el motivo de lo aristocrático, de lo puramente estético: el cisne,

> ¿Qué signo haces, oh Cisne, con tu encorvado cuello
> al paso de los tristes y errantes soñadores?
> ¿Por qué tan silencioso de ser blanco y ser bello,
> tiránico a las aguas e impasible a las flores?[8]

Como poema realmente simbolista, aparecido en otro libro de Rubén Darío, tenemos:

"Los motivos del lobo". En 1908, Rubén Darío, visitó a Italia y en su recorrido llegó hasta Asís y allí se inspiró para escribir este poema de poesía maravillosa. Composición de vida interior hecha con técnica simbolista, la que utiliza para describir algo, tomando como ejemplo a un animal —el lobo— y es a través de las cosas como va a expresar sus emociones, al estilo simbolista, por ello la figura del santo —San Francisco de Asís— está subordinada a la del lobo. La emoción hay que encontrarla en el conjunto del poema.

---

[8] *Ibid.*, pág. 731.

El tema de la composición prodríamos sintetizarlo diciendo que es la humildad del amor en el amor al humilde, la primera es la de San Francisco, para quien todos los seres eran hermanos y en ésta humildad del amor, está su amor a lo que él siempre amó: lo humilde.

En la composición Darío nos presenta la innata crueldad del ser humano: "El hombre es el lobo del hombre" —dijo Terencio, en una de sus comedias y Job lo repitió en el Leviatan—; y, he aquí que, Darío al visitar a Asís se encontró con la historia de un hombre que lo daba todo. La composición tiene una lección finísima de ironía que de tanto serlo ya no lo es y vemos al lobo animal temible bajar la cabeza ante el santo:

...alzando la mano,
al lobo furioso dijo: "Paz, hermano
lobo!" El animal
contempló al varón de tosco sayal;
dejó su aire arisco,
cerró las abiertas fauces agresivas,
y dijo: "¡Está bien, hermano Francisco!"[9]

La Sensualidad

Lo sensual para Darío se distribuye en dos partes: lo sensorial por un lado y lo sexual por el otro. Darío tenía una extraordinaria capacidad sensorial para captar de manera armónica, pues tenía una especie de permanencia en la alegría de vivir, "joie de vivre" y esto lo vemos en su poesía con la opulencia de fenómenos, colores y sonidos, que tiene el mundo.

Darío era un hombre violentamente sexual, pues junto a su extraordinaria capacidad sensorial, tiene una preponderante fuerza sexual, pues tiene una fuerza creadora, es decir, la líbido, esto lo da la naturaleza, es la posibilidad de perpetuarse en otro (algunos sicólogos creen que la líbido se puede sublimar, pues es sabido, que hay hombres en que esta fuerza creadora se manifiesta no sólo para perpetuar la especie, sino en todos los aspectos). La

---

[9] *Ibid.*, pág. 946.

líbido sublimada da la creación y viene a ser en Darío como un estímulo que a veces se manifiesta en lo maravilloso de su creación poética.

La sensualidad en Darío, según nuestra opinión, se manifiesta en tres formas distintas: lo sensual unido a lo ornamental pagano; lo sensual puramente sexual; y, de la lucha entre los dos, sale la sublimación.

Esto era extraño en la literatura española que tiene una notable nota ascética, aun en la picaresca; no hay en ella al decir del propio Unamuno, el goce de la vida característico de la francesa, sino sólo "un sentimiento trágico de la vida". Darío busca otra cosa y lo consigue, busca el "joie de vivre" y lo encuentra porque es un panida. Trae la dualidad de lo sexual y lo sensorial y lo pone en la poesía. En Garcilaso de la Vega, por ejemplo, la biología es un medio para el fin, en Darío, por el contrario, el medio es el fin, es decir, la unión de un ser humano con la naturaleza.

Darío logra sintonizar la sensualidad del mundo con su propia sensualidad y ésta es equivalente a la fuerza sensorial del mundo. Es la sensorialidad del mundo que está alojada en él y él lo único que hace es manifestarla, expresarla. Él es el reflejo, el eco de ese mundo en el que él ha logrado situarse, por consiguiente, hay una diferencia muy notable que es la sensorialidad que se da entre los románticos y los parnasianos y modernistas, éstos prefieren la forma al fondo y aquellos el fondo a la forma.

En *Azul* hay una palpitación sensual característica, nos dice el propio Darío. Esta sensualidad se reparte entre el poeta-personal, la lleva consigo —y la otra que le viene del mundo, con sus más diversas sensaciones. Rubén Darío es un poeta que lleva consigo lo sensual de dos formas o maneras distintas: de una parte lo sexual —que fue en él potencia a la par que debilidad—; y, de otra, lo sensorial que radica en la fuerza que poseía el poeta para captar el mundo sensorial con su riqueza ornamental. En esto se va a sentir respaldado por los autores, franceses en los que abunda este mundo sensorial.

Para corroborar nuestro criterio, analicemos algunos poemas de *Azul*. En "Primaveral" después de lo sensorial se desliza a lo sexual:

Mi dulce musa, Delicia
me trajo un ánfora griega
cincelada en alabastro,[10]

Empieza mitológico para terminar sexual:

Quiero beber el amor
sólo en tu boca bermeja.
¡Oh amada mía! Es el dulce
tiempo de la primavera.[11]

En este poema prevalece lo sensorial sobre lo sexual a diferencia de "Estival" en que lo sexual prevalece sobre lo sensorial, pero no por ello, podemos decir que sea puramente sexual, pues no olvida el poeta lo sensorial, ya que él sabe que ambas fuerzas son las manifestaciones en que se basa la realidad.

Vemos elemento sensorial en "Estival", cuando nos dice:

Siéntense vahos de horno:
y la selva indiana
en alas del bochorno,
lanza, bajo el sereno
cielo, un soplo de sí...[12]

Encontramos el elemento sexual cuando expresa:

.................La tigre ufana
respira a pulmón lleno,
y al verse hermosa, altiva, soberana,
le late el corazón, se le hincha el seno.[13]

---

[10] *Ibid.*, pág. 577.

[11] *Ibid.*, pág. 578.

[12] *Ibid.*, pág. 579.

[13] *Ibid.*, pág. 579.

"Invernal". En este poema, el poeta regresa al contrapunto equilibrado de lo sensorial y lo sexual mezclado. Efectos del mundo exterior y efectos de su propia naturaleza:

> Dentro, el amor que abrasa;
> fuera la noche fría.[14]

y, sigue con el contrapunto hasta llegar a la explosión final:

> Ardor adolescente,
> miradas y caricias;
> ¡cómo estaría trémula en mis brazos
> la dulce amada mía,
> dándome con sus ojos luz sagrada,
> con su aroma de flor, sabia divina!
> En la alcoba, la lámpara
> derramando sus luces opalinas;
> oyéndose tan sólo
> suspiros, ecos, risas:
> el ruido de los besos...[15]

que suaviza, más tarde, con los dos versos finales del poema:

> Dentro, el amor que abrasa;
> fuera, la noche fría.[16]

"Tigre de Bengala". En este poema tenemos lo sexual desnudo, pero hay también, lo sensorial, pues cuando Darío se dedica a lo sensorial introduce la nota sexual que brota del "joie de vivre".

En su libro *El Canto errante* hay poesías de una rigurosidad sexual:

"La Bailarina de los pies desnudos". En ella vemos reminiscencias del tema sexual llevado a lo sensual, que corresponde a la vida del propio poeta:

---

[14] *Ibid.,* pág. 586.

[15] *Ibid.,* pág. 589.

[16] *Ibid.,* pág. 586.

Bajaban mil deleites de los senos
hacia la perla hundida del ombligo,
e iniciaban propósitos obscenos
azúcares de fresa y miel de higo[17]

"La hembra del pavo real". Tensión sensual de un lado y del otro lado, sensual ornamental de lo pagano. Metafóricamente el cuerpo femenino lo compara al cuerpo de un animal. Fruición sexual que el poeta pone en la poesía, con una riqueza sensorial, que equilibra el poema por la gracia del arte del poeta:

La divina estaba desnuda.
Rosa y nardo dieron su olor...
Mi alma estaba extasiada y muda
y en el sexo ardía una flor.[18]

Evolución hacia la vida interior

En su libro *Cantos de vida y esperanza,* escrito por Darío en 1905, vemos que el poeta ha madurado, ya que han pasado casi diez años desde que escribió *Prosas profanas,* y vemos a Darío derivar de lo sexual hacia la vida interior, sin dejar de ser nunca, el cultivador de la forma que fue en la poesía; no deja de ser completamente parnasiano, pero se va inclinando hacia el simbolismo a través del proceso de madurez del poeta que pasa del preciosismo hasta la vida interior.

En este libro —*Cantos de vida y esperanza*— como composiciones en que el poeta manifiesta sus inquietudes hacia la vida interior, tenemos:

"La dulzura del Angelus". En esta poesía vemos la suave melancolía que se desprende de sus versos, cuando Darío

---

[17] *Ibid.,* pág. 836.

[18] *Ibid.,* pág. 840.

comprende que su frágil y atormentada alma se siente mal en contacto con la luz divina:

> La dulzura del ángelus matinal y divino
> que diluyen ingenuas campanas provinciales,
> en un aire inocente a fuerza de rosales,
> de plegaria, de ensueño de virgen y de trino
>
> de ruiseñor, opuesto todo al rudo destino
> que no cree en Dios...El áureo ovillo vespertino[19]

El propio poeta nos dirá que quiere poner de manifiesto su dolor, en versos que le hablen de su perdida juventud de ensueños, de sus inquietudes, de sus blasfemias, de la bohemia engañosa:

"Nocturno"

> Quiero expresar mi angustia en versos que abolida
> dirán mi juventud de rosas y de ensueños,
> y la desafloración amarga de mi vida
> por un vasto dolor y cuidados pequeños.[20]

En *El canto errante,* la poesía del libro es la visión directa e introspectiva de la vida de Darío, el poeta se siente solo, abandonado y decepcionado de la vida.

"Sum"

> ¡Señor, que la fe se muere!
> ¡Señor, mira mi dolor!
> ¡Miserere! ¡Miserere!...
> Dame la mano, Señor...[21]

---

[19] *Ibid.,* pág. 740.

[20] *Ibid.,* pág. 742.

[21] *Ibid.,* pág. 835.

Después de 18 años de ausencia vuelve Rubén Darío a su tierra natal donde permaneció un año rememorando, posiblemente, el pasado para regresar a España como Embajador ante Alfonso XIII y es en Madrid donde aparece la primera edición de *Poema del otoño,* publicada por la biblioteca del Ateneo, que hizo más tarde la colección de las *Obras completas* de Darío.

Es en este momento introspectivo en la vida de Darío, al igual que ocurre en el poema "Autumnal" aparecido en *Azul;* "Cantos" en *Cantos de vida y esperanza,* y, "Sum" de *El canto errante,* donde el poeta se siente solo, decepcionado, abandonado de la vida.

Poema del otoño. En el vemos el momento más importante de la instropección de Darío, el contraste entre lo cristiano y lo pagano; el espíritu y la carne y como colofón maravilloso sentimos la vida pura.

El poeta nos dice, que corremos hacia la muerte en una constante dialéctica de afirmaciones y negaciones; lo que nos alimenta es lo que nos mata "consumirnos en lo que consumamos".

La vida para Darío, es un contrapunto de dolor y placer; de carne y espíritu y por eso debemos colocarnos en un plano intermedio, buscar un equilibrio entre lo que queremos y lo que tenemos. También, es la vida para Darío una suma de instantes, aprovechar el momento que pasa, ya que todo va a un abismo de donde no se regresa; por ello late en el poeta esa contraposición de lo sensual y lo sexual, con la vida interior íntima; goza de la carne que después todo será polvo.

La vida la concibe, a base de contrastes y oposiciones, los que a fuerza de ser inevitables son para él buenos: dolor y placer; bien y mal; carne y espíritu:

> En nosotros la vida vierte
> fuerza y calor
> ¡Vamos al reino de la Muerte
> por el camino del Amor![22]

---

[22] *Ibid.,* pág. 880.

"La Cartuja". Es una verdadera maravilla poética. La Cartuja de Valldemosa causó honda impresión en Darío y la vista de ella fue la que lo inspiró para escribir este poema.

El contraste entre su propia vida y lo que vió en el monasterio, lo impresionó de modo tal, que tuvo momentos de verdadero arrepentimiento. En este lugar siente Darío una revelación entre el sentimiento pagano (alma apolínea) y el judeo-cristiano, (alma faústica); entre alma de la interioridad o vida interior y su vida exterior. Allí encontró "el alma del misterio de lo infinito".

> Sentir la unción de la divina mano,
> ver florecer de eterna luz mi anhelo,
> y oir como un Pitágoras cristiano,
> la música teológica del cielo.[23]

Este poema marca un momento decisivo en su vida. Hace su propia biografía, describe su vida licenciosa llena de sensualidad, vicios, en fin de sus miserias. El poema es una confesión dolida, personal, que sólo ha encontrado un paralelo de ello en *"Las Confesiones de San Agustín"*, el que al igual que Darío dice: "y sin embargo te amaba (sero te amavi)".

Lo español y lo hispanoamericano en Darío

Estimamos que, Rubén Darío, no es un afrancesado, sino un escritor cosmopolita por necesidad, que ve en la cultura francesa de los siglos XVIII y XIX, una síntesis de las culturas más avanzadas y si los modernistas —Darío es el menos desarraigado— van hacia Francia, es porque la propia España les dió el ejemplo, que ellos no siguieron fielmente, pues mientras ésta se resuelve en una estrecha imitación de las cosas de Francia, en América, la necesidad de aires nuevos se universaliza, se abre a todos los horizontes y la postura de nuestros escritores hispanoamericanos, no entraña claudicación de instintos raciales.

---

[23] *Ibid.*, pág. 939.

Decimos que Darío es el menos desarraigado, porque su acendrado casticismo se manifiesta en formas múltiples, su amor por las cosas de España lo puso de manifiesto de forma positiva; su conocimiento de los poetas antiguos españoles lo vemos reflejado en sus versos. Su emoción racial es tanta que son pocos los poetas españoles, que la han sentido de manera tan ardiente como él:

"Pórtico"

Canta y resuena su verso de oro,
ve de Sevilla las hembras de llama,
sueña y habita en la Alhambra del moro;
y en sus cabellos perfumes derrama.[24]

"El elogio de la seguidilla". Nos muestra hasta dónde se sentía el poeta compenetrado con el espíritu de España y quien lea su "España contemporánea", quedará convencido del amor hondo que Rubén sentía por la tierra de sus antepasados dedicando a ella y a sus héroes sus mejores Cantos tales como: "Un soneto a Cervantes", "A Colón"; y otros tantos grandes poemas, en los que refleja su calurosa admiración por la tierra de sus realidades y sus triunfos.

En cuanto al americanismo en su obra, diremos que sólo son ciertas, las palabras del autor de *Ariel* —"Rubén Darío no es el poeta de América" —hasta 1896, en que Darío muestra profunda indiferencia por las cosas de nuestro continente y ningún deseo de ser poeta oficial de América, puesto que no siente preocupación por sus deberes cívicos y la concepción democrática de nuestra vida le resulta antipática: "a un presidente de República no podré saludarle en el idioma que te cantaría a tí, oh! Halagabal! de cuya corte oro, seda, mármol, me acuerdo en sueños...

Más tarde, durante su permanencia en España (1899-1900), se desarrolla en la obra del poeta un gran sentido racial y ya entonces sí tendremos al poeta cuyo hispanoamericanismo es sincero y vigoroso, nos dará su libro definitivo *Cantos de vida y esperanza*, libro de ideología, en que el poeta nos da en recias canciones un vivo ejemplo de casticismo; el propio Darío declara: "Hay, como he dicho, mucho hispanismo en este libro mío,..."

---

[24] *Ibid.*, pág. 654.

Apenas empieza el libro nos encontramos composiciones tales como:

"Salutación del optimista". Es de un ritmo rudo y cortado, casi epopéyico de acuerdo al tema de la poesía:

Quién será el pusilánime que al vigor español niegue músculos
y que el alma española juzgase áptera y ciega y tullida
No en Babilonia ni Nínive enterrada en olvido y en polvo
Ni entre momias y piedras, reina que habita el sepulcro,
la nación generosa, coronada de orgullo inmarchito,
que hacia el lado del alba fija las miradas ansiosas,
ni la que, tras los mares en que yace sepulta la Atlántida,
tiene su coro de vástagos, altos, robustos y fuertes.[25]

Como vemos, el poeta vuelve los ojos a la madre patria con tal gesto de hombría que nos hace pensar en Walt Whitman y en Carducci. En el propio poema, Rubén Darío, con palabras henchidas de esperanza profetizará el porvenir augusto de la América Latina:

La latina estirpe verá la gran alba futura;
en un trueno de música gloriosa, millones de labios
saludarán la espléndida luz que vendrá del Oriente,
Oriente augusto, en donde todo lo cambia y renueva
la eternidad de Dios, la actividad infinita.
Y así sea Esperanza la visión permanente en nosotros,
¡ínclitas razas ubérrimas, sangre de Hispania fecunda![26]

"Al Rey Oscar". En sus versos alejandrinos palpamos la admiración de Darío por España y sus grandezas:

¡Mientras el mundo aliente, mientras la esfera gire,
mientras la onda cordial alimente un ensueño,
mientras haya una viva pasión, un noble empeño,

---

[25] *Ibid.,* pág. 710.

[26] *Ibid.,* pág. 711.

un buscado imposible, una imposible hazaña,
una América oculta que hallar, vivirá España![27]

"Letanía de nuestro señor Don Quijote". De esta composición se ha dicho que es la mejor dirigida a Don Quijote. Nadie ha podido pintar a la egregia figura española, ni por dentro, ni por fuera, en forma mejor que Darío. Es una de las pocas veces en que Darío fue ligeramente irónico. El poeta lleva consigo el misterio que le permite crear la poesía.

"Los cisnes". En este poema, el poeta mira hacia su América y ve que el porvenir de ésta se encuentra amenazado por los Estados Unidos, y, a fuer de americano, no se desentiende del peligro y lanza su grito:

Seremos entregados a los bárbaros fieros,
¿Tantos millones de hombres hablaremos inglés?
¿Ya ho hay nobles hidalgos ni bravos caballeros?
¿Callaremos ahora para llorar después?[28]

No contento aún con esto, lanza su anatema y pone de manifiesto la amenaza yanqui en:

"A Roosevelt". Afirma, una vez, más su confianza en el filón de la raza, cuando nos dice:

Tened cuidado. ¡Vive la América española!
Hay mil cachorros sueltos del León Español.
Se necesitaría, Roosevelt, ser, por Dios mismo,
el Riflero terrible y el fuerte Cazador,
para poder tenernos en vuestras férreas garras.
Y, pues contáis con todo, falta una cosa: ¡Dios![29]

Más tarde, no sabemos de cierto las causas, Darío cambiará su criterio con relación a los Estados Unidos, y demostrará su

---

[27] *Ibid.,* pág. 713.

[28] *Ibid.,* pág. 732.

[29] *Ibid.,* pág. 721.

admiración por el águila del Norte en uno de los poemas de su libro, *El Canto errante:*

"Salutación al águila". En este poema alaba la energía, constancia y carácter del pueblo americano y señala el contraste entre los hispanoamericanos y los Estados Unidos:

> Muy bien llegada seas a la tierra pujante y ubérrima
> sobre la cual la Cruz del Sur está, que miró Dante
> cuando, siendo Mesías, impulsó en su intuición sus
> (bajeles,
> que antes que los del sumo Cristóbal supieron nuestro
> (cielo.

> ¡E pluribus unum! ¡Gloria, victoria, trabajo!
> Tráenos los secretos de las labores del Norte,
> y que los hijos nuestros dejen de ser los rétores latinos
> y aprendan de los yanquis la constancia, el vigor
> (y el carácter.[30]

---

[30] *Ibid.,* págs. 805-806.

Los derechos de la salud de Florencio Sánchez y El color de nuestra piel de Celestino Gorostiza

Es interesante seguir la trayectoria de la vida de estos hombres, para poder apreciar al escritor que hay en cada uno de ellos.

En Florencio Sánchez, nacido en Montevideo, Uruguay, el 17 de enero de 1875, por ejemplo tenemos a un autodidacta, pero con sentido e instinto del equilibrio.

Su juventud está llena de tristeza y sencillez, empezó a trabajar casi niño y a los 16 años se ha convertido en un escritor ocasional. Usaba como sobrenombre el de "Jack el Destripador", pero lo hacía con un propósito, con una idea, pues escribía artículos de crítica mordaz contra los políticos, la economía, la sociedad...Entre estos artículos los escribió uno contra los comerciantes; y, siendo él a la sazón, empleado de comercio, perdió el empleo.

Su formación intelectual es accidental, se nutre de distintas lecturas, pero en sus obras se observa cierto dominio al utilizar ese bagaje; luego, no es un autodidacta peligroso.

Tomó parte en 1889 en una revuelta y desalentado del resultado, se marcha a Buenos Aires y escribe una serie de artículos bajo el título de "Cartas de un flojo".

En Buenos Aires, trabaja en el Cuerpo de la Policía como empleado del Departamento de Identificación, cargo que desempeña durante dos años. En este período frecuenta distintos círculos intelectuales y en ellos comienza a prepararse culturalmente, en tanto lleva una vida de bohemia, vistiendo mal, comiendo poco y bebiendo mucho.

No realizó Florencio Sánchez, estudios metódicos ni serios, su mente se formó con las lecturas de actualidad. Traducía el francés y el italiano y estaba en contacto con las doctrinas imperantes en el extranjero, a través de publicaciones de divulgación filosófico-social.

De los escritores por los que sentía admiración y sirvieron de modelo al escritor uruguayo, podemos citar a Ibsen, Turgueneff, Rovetta, Hauptmann, Bracco, Suderman y Nietzsche de quién adquirió su anticristianismo pegadizo sobre su anarquismo sentimental; anticristianismo que lo vemos en la tesis de su obra

Los derechos de la salud. De entre los escritores españoles a Dicenta, Benavente y acaso Galdós. Escribe en varios periódicos, entre otros, en "La República", "El País", y "El Sol".

En 1909, el Gobierno de Uruguay le envía en misión oficial a Europa, visita Francia e Italia; y en ésta última, al año siguiente, en la ciudad de Milán, muere, víctima de una pulmonía. Florencio Sánchez, vivió una vida muy apresurada y muere muy prematuramente. Vida errante, bohemia, desordenada, sin tiempo de formarse culturalmente, ni tiempo de vivir. Su fama es muy merecida porque fue un hombre de verdadero talento, con una especie de instinto de profunda intuición, que le permitía leer en forma desordenada y sin embargo darle forma a lo que leía.

Espíritu inquieto y aventurero, carece de ideas fijas sobre la vida y sobre la sociedad. La nota más sobresaliente de su vida y de su obra es el pensamiento. La vida le brinda pocos atractivos, pues es un enfermo por naturaleza y temperamento.

Florencio Sánchez vivió completamente ignorado hasta 1903, en que estrenó su drama *M' hijo el doctor,* a partir de entonces le sonrieron días felices y se dedicó al cultivo de su obra creadora.

Su producción literaria está compuesta por 21 obras, repartidas en dramas, comedias, sainetes y zarzuelas; en las que trata los siguientes temas: tema rural, tema de las clases media y alta en la ciudad; y, el tema de la clase pobre dentro de la ciudad.

En su producción tenemos obras mayores y menores; de las cuales cuatro, son fundamentales por su calidad artística y por su contenido intelectual: *M' hijo el doctor; La gringa; Barranca abajo;* y *Los derechos de la salud.*

Nosotros por nuestra parte, relacionaremos la producción literaria de Sánchez en orden ascendente:

M' hijo el doctor, obra cumbre que lo lanzó de un sólo golpe a la notoriedad, nos presenta el conflicto entre un padre y su hijo, planteado entre la austeridad moral del primero y la desaprensiva amoralidad del segundo; conflicto del que salen triunfantes los principios cristianos que Sánchez atacó.

La pobre gente, estrenada en 1904, obra crudamente naturalista, de ambiente misérrimo.

151

La gringa, pugna entre dos fuerzas antagónicas; una progresiva y la otra regresiva, la primera representada por la ciudad y la segunda por la pampa.

Barranca abajo, drama más intenso, más humano, su obra más completa. Después de ella, vemos a Sánchez declinar y nos dará sus obras:

En familia, drama de un hogar envilecido por la haraganería y la pobreza.

Los muertos, drama sobre el alcoholismo, de endeble contenido psicológico. En todas estas obras Sánchez ha jugado con factores de herencia patológica. Después siente la ambición de escribir obras de ideas y poniendo en juego factores morales acometerá contra las convenciones y prejuicios decrépitos, ejemplo de esto serán sus dramas *El pasado, Nuestros hijos,* y *Los derechos de la salud.*

Entre sus obras menores, tenemos su comedia *Un buen negocio* y los sainetes: *La gente honesta; La tigra; Moneda falsa; Marta Gruni; El desalojo; Los curdas; Cédulas de San Juan* y *Mano santa.*

Para algunos críticos, Florencio Sánchez es mejor sainetero que dramaturgo, en sus sainetes se desarrollan sus condiciones de aguafuertista y de entre ellos los más logrados son: *El desalojo* y *Moneda falsa.*

Para cerrar el ciclo de su producción, citemos sus zarzuelas: *El conventillo; El cacique Pichelo;* y, *Canillita.*

Ahí termina su producción, en la cual nunca trató el problema político o religioso, aunque estos temas aparecen en sus obras.

Florencio Sánchez, temperamento dramático, extraordinariamente intuitivo, hacía teatro por instinto; sus ideas filosóficas carecen de claridad y hondura; dotado admirablemente por la naturaleza para la observación, pero no para lo psicológico, no dejó arquetipos humanos; sus personajes son bocetos de la realidad objetiva.

Falto de equilibrio en cuanto a las ideas, y un tanto imparcial en cuanto a su enfoque del mundo es, no obstante, de destacar su faceta, como observador de ciertos aspectos de la vida, que no han sido superados hasta hoy por la dramaturgia hispanoamericana.

De 1898 a 1918, la orientación específica del teatro se desenvuelve dentro de la técnica realista-naturalista. Es propiamente hacia 1900, cuando el naturalismo se conoce en la Argentina, conjuntamente con las ideas izquierdistas de un lado y del otro el movimiento positivista.

De los temas generales del Naturalismo, el teatro río-platense tomó el estudio de los caracteres; la clase media; el sexo; el tema social; político y proletario; el cuadro costumbrista y como derivado de éste el costumbrismo regionalista.

Nos hemos propuesto estudiar a Florencio Sánchez en líneas generales, concretando nuestra atención en *Los derechos de la salud;* comedia en tres actos estrenada simultáneamente en el "Teatro Solís", de Montevideo, el 4 de diciembre de 1907 y en la ciudad de Buenos Aires.

"El clima o época mental en que se desarrolla el autor que estudiamos, es liberal y naturalista", ha dicho Juan Pablo Echagüe, quien lo sitúa en los años finales del siglo XIX.

En el arte adopta la estética de Zola; en filosofía, sigue la línea positivista; en política, es revolucionario, y va más allá del socialismo, para afiliarse a las filas del anarquismo.

Al iniciar Florencio Sánchez su obra dramática, allá por 1900, se encuentra de moda en Europa y empieza a tener repercusión en América un teatro de ideas de exaltación y redención del proletariado; de omnímoda libertad de los sexos; de conflictos de carácter moral; de tesis sociológicas.

El Naturalismo, extremadamente pródigo en la presentación de casos patológicos, es el sector hacia el que se vuelca Sánchez y en él se mueve, como en su propia casa.

Su literatura realista-naturalista, al igual que todo este movimiento, va a reducir lo sicológico para destacar sólo lo físico y lo fisiológico, causas que en lo moral, nos darán una serie de almas deprimidas, produciendo con ello una literatura no beneficiosa para un pueblo nuevo, necesitado de optimismo para aplicar sus energías vitales a la realización de altos ideales.

Con Florencio Sánchez, entra de lleno en el teatro río-platense el Naturalismo, adornado con todos sus atributos específicos; mecanismo de la herencia, función de los órganos; influjo del medio.

En la obra que estudiamos, Luisa y Roberto están casados, se amaban apasionadamente y eran felices hasta que sobrevino la terrible tisis que mina el cuerpo de Luisa, y la familia tiene que

153

aislarla de la vida en común, para prevenirse del contagio. Pero realizan el obligado aislamiento de una forma casi manifiesta, sobre todo en lo que al alejamiento de los hijos se refiere. En todo ello palpa Luisa la lástima mezclada con el miedo y cierta repulsión, lo que unido a su dolor de verse en la plenitud de su vida condenada a muerte, la hacen sentirse extremadamente desgraciada. A esto hay que añadir la presión interna que la rodea al verse suplantada en sus funciones de madre por su hermana Renata, que siempre ha vivido con ellos y que a partir de su enfermedad se constituye en el eje de la familia alrededor del cual giran todos. Siente que la hermana, poco a poco, va captándose el amor de los suyos; que se ha convertido en la colaboradora de su esposo; que sus hijos la miran como a una madre.

Un día, ocurre lo inevitable, Luisa no puede más y tiene una explicación con la hermana, en el curso de la cual le expone todos sus sufrimientos y temores. Renata, sin confesar ni negar, acepta abandonar la casa de Luisa y Roberto para siempre y se marcha.

Al enterarse Roberto por Luisa de la decisión de Renata, no la cree en principio, se violenta y la llama a gritos y al no obtener respuesta, vuelca todo su dolor iracundo contra la pobre enferma, olvidándose de que ésta es su esposa.

Luisa, transida de dolor, comprende de un sólo golpazo, lo que quizás Roberto ni siquiera se había confesado a sí mismo; que ama a Renata con todas las fuerzas del hombre joven y fuerte, que ya no puede vivir sin ella; y que Roberto desea su muerte para sentirse libre.

Antes, había sentido Luisa el deseo de curar, ahora no, pues se da cuenta que todos quieren expulsarla de la vida. Enferma gravemente, y Renata es llamada de nuevo a la casa, para asistirla.

Una noche en que velan todos, Roberto cuenta a su amigo, el doctor Ramos, todo lo ocurrido entre él y Luisa, y le dice:

Amo a Renata. Sí; amo a Renata con todas las fuerzas del alma y del instinto y con todos los derechos de mi salud.

No puedo negarlo y no me avergüenzo de esta pasión, que no es una imprudencia ni un crimen.[1]

En esta exposición de Roberto se resume la tesis de la novela, los instintos y los derechos de la salud justifican el amor de Roberto.

Más tarde, Roberto confesará su amor a Renata, quien se sobresalta, pero no lo rechaza:

> No. Calle usted, calle usted. Una palabra más y comenzaremos a ser criminales. ¡Oh, por qué todo ha de ser así!...[2]

Roberto, rendido por el cansancio se duerme en su sofá, Renata se acerca, lo besa, y también queda dormida. En el cuarto vecino, Luisa se ha despertado. Abandona la cama, se levanta, y al observar la postura de su esposo y de su hermana que duermen, lanza un grito y cae desvanecida. Renata y Roberto despiertan y van hacia Luisa para auxiliarla y Renata dice, "¡Muerta!" a lo que Roberto contesta "No, ¡duerme!" y cae el telón.[3]

Observamos que los personajes de Florencio Sánchez reaccionan de acuerdo; en función de la sociedad en que viven, es decir, acorde con el medio ambiente. La sociedad les impone su norma de vida, de conducta, su código moral. Son extraordinariamente aceptados cuando forman parte del medio social en que se mueve el autor en *El desalojo, La tigra,* etc. pero en *Los derechos de la salud,* tenemos que los personajes filosofan, pronuncian casi discursos, se pierden en la retórica, y si actúan así es porque están carentes de las simpatías de Sánchez, aunque ello no quiere decir que les falte realismo. "Los personajes de Sánchez —nos dice Arturo Vázquez Cey— no se tallan en enmancipada personalidad, sino que se presentan adscriptos al plasma colectivo: raza o

---

[1] Florencio Sánchez. *Los derechos de la Salud.* Teatro Hispanoamericano de Hymen Alpern y José Martel. The Oddyssey Press, New York, 1956. Pág. 68.

[2] *Ob. cit.* pág. 71.

[3] *Ibid.* Pág. 72.

familia. Su teatro, tentador para el sociólogo, es establo donde se debaten tipos y temperamentos, caracteres jamás."[4]

Los personajes en *Los derechos de la salud,* al igual que en toda obra de teatro, son principales y secundarios, entre los primeros tenemos a Luisa, tísica, a Roberto, marido de Luisa, a Renata, hermana de Luisa; y entre los segundos: a Mijita, vieja criada, a Albertina, esposa del doctor, al Doctor Ramos, marido de Albertina, a Pololo y a Nena, los hijos de Luisa y Roberto y finalmente un criado.

De Luisa diremos, que es un personaje muy bien logrado, de moral profunda, en quien vemos perfectamente delineadas las características de un tuberculoso: sentimental y egoísta; serena e irascible... Roberto posee, a contrapelo de Luisa, una moral natural, humana. Renata, con moral natural, humana, al igual que Roberto, es el dedo sin máquina que mueve la obra.

Refiriéndose a los personajes de esta obra, Enrique Diez Canedo considera que apenas aparecen vinculados ideológicamente al medio en que aparecen pintados, así pues el intento del autor de seguir las corrientes contemporáneas del teatro europeo, no tuvo gran acierto. Trata de forzar los caracteres.[5]

Florencio Sánchez es un hombre del pueblo, en el más completo y cabal sentido de la palabra, tanto a través de su periodismo, como de sus folletos, como de su teatro. Hombre del pueblo, a la vanguardia de su época, es en su teatro, donde emplea todos los medios de lucha contra los sistemas social, económico y político existentes; poniendo de manifiesto los falsos prejuicios, desnudando en escena la miseria, producto del medio materialista, frío y calculador. Hombre de pueblo, en una palabra, en ese realismo sin fronteras de su producción; en sus ideas relacionadas con el problema social, en toda su variada y compleja gama.

De los temas del naturalismo, nuestro autor recoge en *Los derechos de la salud,* el problema sexual, pero unido a otros temas de naturaleza distinta, como la plena libertad de conciencia, el

---

[4] *Florencio Sánchez y el teatro Argentino.* Buenos Aires, 1929, pág. 98.

[5] Enrique Diez Canedo, *"Florencio Sánchez y su teatro".* Revista Universidad de la La Habana, 1941, Vol. VI. No. 35. bb. 7-17.

triunfo del más fuerte, el de los "convencionalismos", que son los que proclama Roberto, en el tercer acto de la obra; ya que Florencio Sánchez no ha entrado, ni en ésta ni en ninguna de sus obras, a estudiar a fondo el problema de la atracción de los sexos.

Los problemas sociales de la época, por los que sintió gran preocupación, nos los presenta literariamente, aunque no propone soluciones, en ellos sólo late un propósito de interpretación sociológica de su parte, por ello en su teatro siempre hay una tesis.

En todas sus obras el ambiente social de la época está reflejado con gran vigor: Así en la obra que analizamos, *Los derechos de la salud*, aparecen todas las características del naturalismo escénico, en ella vemos patentizada las doctrinas de la época: naturalismo, positivismo y biologismo, culminando con Nietzche, con su supervivencia de los fuertes.

Lucha constante entre prejuicios y derechos es la obra, para decirnos al final que lo peor de la sociedad es que es una falsificación del hombre, porque ésta frena y limita su derecho de actuar espontáneamente, con las barreras de los prejuicios sociales.

Como ya hemos dicho, Florencio Sánchez tuvo intuición perfecta al dar al lenguaje la fuerza expresiva de la clase que lo empleaba.

Podemos decir, que por lo general, su lenguaje se caracteriza por el laconismo, nada de floreos y artificios innecesarios. Éste es sencillo y directo, casi siempre va al lector, lo que lo hace más valioso. Escribía, sicológicamente, dominado por la brevedad, por ello sus obras son breves, y mientras más sintético es en el contenido, más activo es, y llega más al espectador.

Las más de las veces, el lenguaje en sus obras es sobrio, sin metáforas y alegorías. Es una adaptación plástica al personaje y al medio social.

En *Los derechos de la salud* sin embargo, vemos en Sánchez un punto retórico, a veces excesivo, sobre todo en las peroratas de Roberto, que quieren ser literarias y por ello muchas veces suenan a algo que no se ajusta a la realidad, pero esto no constituye un error del autor, pues el lenguaje en esta obra está impuesto por la categoría de los personajes: el doctor Ramos, un médico; Roberto, un escritor.

Además, debemos tener en cuenta que Florencio Sánchez no es un literato, aunque la suya puede llamarse literatura, ya que

157

como bien lo anotó José León Pagán "subordinaba la observación a una idea estética."

En la mayoría de sus obras, el lenguaje se adapta perfectamente a sus personajes cuando éstos son hombre y mujeres del pueblo, entonces los diálogos son naturales porque se ajustan a la realidad.

Ahora bien, en *Los derechos de la salud* los personajes hablan sin naturalidad, y sí "en libro", de ahí que la retórica florezca y la exactitud se apague, pues el autor se pierde en devaneos filosóficos. Nos parece que la pluma flexible de Sánchez no estuvo acertada cuando pretendió pulir su estilo, al ornamentar las peroratas de Roberto:

¡Oh! ¡La salud! Madre egoista del instinto creador, nos traza la ruta luminosa e inmutable, y por ella va la caravana de peregrinos en lo eterno y va, y va, y marcha, y marcha, y marcha sin detenerse un instante, sin volver los ojos una sola vez, sordos los oídos al clamor angustioso de los retardados, y los ojos exhaustos que va dejando en el camino que nunca se vuelve a recorrer...[6]

En el mundo de las ideas podemos ubicar a Florencio Sánchez en el anarquismo. En su época, las ideas anarquistas estaban de moda y muchos intelectuales argentinos las profesaron en sus años mozos. La obra de Sánchez tiene cierto anarquismo romántico, —excepto *La Gringa*,— pero después evoluciona y va hacia un nietzcheanismo como en *Los derechos de la salud,* inspirada en el pensamiento del filósofo alemán "Perezcan los débiles y los fracasados, primer principio de nuestro amor a la vida..."

De este anarquismo, deriva el optimismo radical de Sánchez, ya que el pesimismo que vemos en su obras, es más aparente que real, producto del clima económico, social o familiar que viven los personajes de sus obras, bien distante del pesimismo de las obras de Sartre.

Los derechos de la salud, es un drama de ideas, inspirado en la historia de una mujer joven que ha contraído la tuberculosis al cabo de unos años de casada con un hombre sano y robusto, y ahí, surge el conflicto que plantea el autor; ¿tiene este hombre el

---

[6] *Ibid.* Pág. 68.

deber de estar atado a esta mujer enferma o incapacitada como tal, para cumplir las funciones de madre y de esposa?; ¿es lícito o no, que ese hombre, Roberto, se enamore de la hermana de su esposa, Renata, mujer joven y sana que ha suplido a la esposa, Luisa, en todas las funciones propias de la madre, la ama de casa y la colaboradora intelectual del esposo?; ¿es correcto que este enamoramiento ocurra inclusive en presencia de la esposa, condenada a muerte por la ciencia?. El autor, en nombre de "los derechos de la salud", y de "las fuerzas conservadoras del instinto" y de la "supervivencia de los fuertes", resuelve el conflicto que la obra plantea entre biología y moral, a favor de la primera; y, los instintos prevalecen sobre los aspectos reflexivos, lo material sobre lo espiritual, apoyados en el determinismo moral: no soy responsable de lo que hago, porque mi cuerpo, mis instintos me dominan; y, así lo expresa Roberto, cuando alega:

Yo no tuve bastante dominio sobre mis impresiones para disimularlas o desnaturalizarlas, y explotaron, estallaron con una violencia insospechada por mí mismo...[7]

Roberto llega a desear la muerte de Luisa y así lo manifiesta en conversación con el doctor Ramos, cuando le dice: "no me espanta. Lo deseo, sabes?..." En Renata, también existe parecido deseo cuando expresa: "puesta en lugar de Luisa, preferiría morir, pues sólo deben vivir los sanos".

En esta declaración, nos parece ver un error del autor, pues se contradice la idea que contiene, con la alta humanidad de Renata. La actuación de Roberto, es producto de la pasión, y va bien con su carácter. En Renata, no alcanza a ser un deseo, sino una desviación de su "sensualismo enfermizo", ya que no existe en ella impulso ciego, ni esa atracción sexual poderosa y dominante por Roberto que éste sí siente por ella.

Este drama nietzcheano, tiene con respecto a su autor, un gran mérito, pues en el mismo, Florencio Sánchez reivindica el derecho de los sanos a aislarse de los enfermos y, siendo él precisamente un baciloso, tiene el suficiente valor y la gran generosidad de exaltar ese derecho, con lo cual nos pone de manifiesto hasta qué grados llevaba su altruismo este hombre extraordinario.

---

[7] *Ibid.* Pág. 68.

La obra no nos luce muy feliz, pues el autor al reivindicar los derechos de la salud, los disuelve en una retórica dada en las circunstancias más contrarias a la persuación. El derecho de la vida, por muy legítimo que sea, se invoca por Roberto en situaciones bien adversas: usando la traición a su mujer y con la hermana de ésta; al emplear la fuerza, la salud, como medio de tortura moral, se aparta el autor, un tanto, del concepto de Nietzche, quien al proclamar la necesidad de suprimir lo enfermo para no perjudicar el vigor y la fuerza de los seres sanos, no recurría a la supremacía de la fuerza como vehículo de tortura moral.

Roberto dobla el mal del Luisa, haciéndole "ver" sus sentimientos por Renata; quizás hubiera sido más sincero con él y con "su derecho a la salud", si se hubiera alejado de su esposa al objeto de evitarle a ésta el inmenso dolor de verse sustituída por su propia hermana.

La obra es de un profundo sentido dramático y humano cuyo contenido está presidido por la moral teologista, la moral de Nietzche opuesta a la moral de Cristo.

El biologismo lo rige todo, soberanía del Instinto sobre el Deber y la Misericordia, la Fuerza, la Salud sobre el Amor; pero al exaltar la moral de los fuertes, el autor mira con simpatía al débil predestinado al sacrificio.

En *Los derechos de la salud,* al igual que en toda la obra de Florencio Sánchez más que ideas, vemos un teatro de ideología. La ideología, en la obra que analizamos, es la afirmación de la ley humana, natural, que simboliza: glorificación de la vida y en algunos momentos de los instintos. Se ha dicho que en la obra triunfa la vida.

Una vez estudiado, en líneas generales Florencio Sánchez y su obra *Los derechos de la salud,* pasemos a analizar, a grandes rasgos, la personalidad de Celestino Gorostiza y su obra *El color de nuestra piel.*

Consecuente con el ángulo focal que venimos empleando, veamos primero al escritor que hay en este hombre, para después analizar su obra.

Celestino Gorostiza nació el 31 de enero de 1904, en Villahermosa, Tabasco, México, y falleció el día 11 de enero de 1967.

Cursó sus primeros estudios en su ciudad natal, más tarde hizo estudios superiores en el Instituto de Ciencias de Aguascalientes, en el Colegio Francés de la ciudad de México, y en la Escuela Nacional Preparatoria. No cursó estudios universitarios y no obtuvo ningún título académico, pero no osbtante ello, le fueron impuestas las Palmas Académicas de Francia.

Se consagró al teatro desde los 26 años de edad, al fundar el "Teatro de Orientación", sin el cual no es posible comprender el teatro mexicano posterior.

Celestino Gorostiza, ama el teatro en todas sus formas y así lo ha demostrado como actor y director en 1928 del "Teatro Ulíses", como traductor de piezas del teatro universal; como crítico teatral del semanario intitulado "El Espectador".

En 1932, fundó el "Teatro de Orientación", su más trascendente obra, al que logró llevar al grupo de "Ulíses", para su nuevo experimento, del teatro experimental, en México. Con "Orientación", se estrenó un repertorio selecto de obras cuyo auditorio era de gran calidad.

Más tarde, "Orientación" se estableció en el "Teatro Hidalgo", para dar al público en general, sus experiencias del pequeño salón experimental, llevando a la escena las mismas obras selectas, a las que añadió dos piezas mexicanas.

En 1934, inició "Orientación" su cuarta temporada, que se cerró en septiembre del propio año. En este período vemos predominar la producción nacional, por encima de la extranjera. En 1938, se le dió a este teatro una nueva organización.

En su origen, Gorostiza, como autor dramático, estrenó las traducciones hechas por él, de obras de teatro extranjero, a las que siguieron más tarde piezas originales del propio Gorostiza.

En 1935, al detenerse los trabajos de "Orientación" por cuestiones internas de la Secretaría de Educación Pública, que lo sostenía económicamente, se le encargó la dirección artística de la Cinematografía Latinoamericana, cuyo cargo desempeña hasta 1936. Al año siguiente, en 1937, lo vemos trabajando como director artístico de la Compañía de María Teresa de Montoya. Es en 1938, cuando se le nombra al frente del Departamento de Bellas Artes y reanuda sus actividades teatrales, fortaleciendo y ampliando los caminos iniciales del "Teatro Orientación".

El teatro anterior a este último, sólo se limitaba a una serie de movimientos que tendían a renovar el teatro mexicano a fin de liberarlo del nefasto colonialismo intelectual a que estaba sometido. El más importante entre estos movimientos fue el "Teatro Ulíses", en 1927, pero no es hasta el "Teatro de Orientación", que el teatro experimental se consolida.

Al respecto, dice el propio Gorostiza: "hasta antes de estos teatros, la vida teatral de México había estado por completo en manos de empresas españolas locales, que imponían al público el gusto más corriente y barato de los autores comerciales de Madrid, y México no podía siquiera enterarse de lo que pasaba en el ambiente del resto mundo."

Este teatro fue una verdadera revolución de la escena e hizo y dió a México, una visión panorámica del teatro universal, de todos los tiempos.

Poseía Gorostiza amplios conocimientos de la literatura extranjera, especialmente de la norteamericana y de la inglesa. Hablaba poco, mostraba cierto dejo burlesco pero la burla en él nunca fue agresiva, sino que más bien revelaba tolerancia. Purificó la técnica del teatro mexicano y elevó el nivel estético de éste y con su labor inteligente y tenaz logró crear una modalidad en el proceso del teatro mexicano, abriéndole los ojos a la juventud literaria y sacudiendo el gusto del público al proporcionarle el conocimiento de obras inglesas, francesas e italianas, con las que entra en México, la corriente del más moderno teatro. Pero Gorostiza, no sólo mejoró la técnica teatral, sino que despertó la conciencia de la realidad pública mexicana y como resultado de su labor innovadora apareció un teatro propio y autóctono.

Las obras que escribió Gorostiza como autor teatral, son las siguientes:

El nuevo paraíso, 1930; *La escuela del amor,* 1922; *Ser o no ser,* 1934; *Escombros del sueño,* 1938; catorce años más tarde, estrena la que está considerada como la mejor de sus obras, *El color de nuestra piel,* (1952). Este lapso en su producción teatral, se debió a circunstancias derivadas de su obligada dedicación al cine.

En 1955, escribe *Columna social,* y, en 1958 *La Malinche,* obra que se estrena en el mismo año con el nombre de *La leña está verde.* Este mismo año, figura como Jefe del Departamento de Teatro del Instituto Nacional de Bellas Artes, actuando como organizador de todas las actividades teatrales de la República.

Cuatro son los momentos cruciales de su vida como promotor de eventos teatrales: la fundación de la Academia Cinematográfica, la que dirigió durante mucho tiempo; La Organización del Primer Congreso Latinoamericano de Teatro; El Primer Concurso

Latinoamericano de Teatro; y, la Organización de Tres Temporadas de Oro del Teatro Mexicano.

En 1960, ingresó como Miembro de Número a la Academia Mexicana de la Lengua.

Celestino es el primero en México, que ensaya la vuelta del tipo de actor diderotiano, es decir, el autor disciplinado, al servicio de la obra dramática exclusivamente.

Su labor como director de escena es milagrosa, pues hace surgir de la nada a nuevos comediantes conduciéndolos hacia un subordinamiento rígido de la individualidad al conjunto. En esto Magaña Esquivel "quiere ver la influencia de las teorías modernas del gran teórico inglés Gordon Craig que alimentan y sostienen hoy la escena de los mejores teatros del mundo." El teatro no es la representación de los actores, ni la obra, ni la "mise en scene", ni la danza; está formado por los elementos que lo componen: el gesto, que es el alma de la representación; las palabras, que son el cuerpo de la obra; las líneas y los colores, que son la existencia misma del decorado; el ritmo, que es la esencia de la danza." Gorostiza sigue esta línea y proyecta la obra en línea precisa, dándole al propio tiempo, estilo a la escena, buscando a la par, el equilibrio de todos los elementos que en ella coinciden, a fin de que cada cual, pueda ejercer su función específica, dentro del conjunto armónico que debe dominar.

Como dramaturgo, Gorostiza se distingue por los factores psicológicos que introduce en su teatro, por los temas de introspección que enuncia y que como en Pirandello, son un conflicto unilateral.

En el período en que escribe Gorostiza hay en el teatro mexicano una tendencia hacia la maduración del realismo anterior, y surge consecuentemente un teatro de experimentación de las técnicas extranjeras, especialmente la europea y la norteamericana. Este teatro de experimentación va a ser hecho por escritores que tienen idea de lo que es el arte. No es comercial, es de minorías, serio, como arte sin preocupaciones económicas.

Al iniciarse este teatro nos damos cuenta del cambio entre el teatro anterior que carece de profundidad y es un teatro muy teatral, demasiado superficial, carente de ideas y el teatro experimental en el que hay ideas y conciencia en el escritor de que está trabajando con algo artístico.

Este teatro evoluciona, y en el segundo cuarto de este siglo, tendremos el "teatro actual", que es más realista y se proyecta al público multitudinario y le habla en su propio idioma y le plantea sus propios problemas.

De sus obras, correspondiente al llamado "teatro actual" estudiaremos *El color de nuestra piel*, premiada en México en 1953, con el premio "Ruíz Alarcón" otorgado por la "Agrupación de Críticos de Teatro de México", como la mejor comedia mexicana estrenada en 1952, en el Teatro Colón, en una temporada de la Unión Nacional de Autores.

El argumento de la obra *El color de nuestra piel*, tiene lugar en la vida íntima de una familia mexicana, de alta clase económica y rudimentaria cultura. El padre, don Ricardo, nacido en los estertores del siglo XIX, es víctima de un complejo racial que domina su conducta personal, en sus relaciones socio-familiares. Él cree en la superioridad de los que tienen la piel blanca sobre los que no la tienen. Siendo mestizo, vive obsedido por la idea de ser blanco y apoya ésta en la relativa claridad de su piel, y en un retrato pintado al óleo que de su padre conserva, donde aparece éste con la piel blanca y los ojos azules.

La riqueza que posee, es producto de su esfuerzo personal; ha llegado a ser presidente de un banco, habiendo empezado como simple empleado, después de haber fracasado como estudiante. Es en esta época cuando se casa con Carmela, mujer de carácter fuerte, de piel más oscura que la de él, consciente de su mestizaje que no niega. Su más íntimo amigo lo es Zeyer, extranjero, de piel blanca y ojos azules, que lucha en tierras de México por conquistar una fortuna y a quien don Ricardo protege más allá de lo lícito, facilitándole para que especule, dinero que toma sin autorización del banco donde trabaja, con el consiguiente deterioro de su integridad personal. ¡A tanto llega su anhelo de confundirse con lo que quiere ser!

Los dos primeros hijos del matrimonio, Jorge y Beatriz, nacen con la piel oscura. Don Ricardo no oculta su decepción cuando los ve por vez primera, con lo cual produce profunda amargura en el alma de su esposa. Como todo acomplejado racial no desperdicia la oportunidad para exteriorizar su desprecio por aquello que no quiere ser.

En funciones de cajero de un banco, don Ricardo realiza un viaje a New York. A despedirlo acuden su esposa y su amigo Zeyer. En el trayecto a la estación, don Ricardo habla constantemente con su amigo de las güeras y de cómo se iba a desquitar cuando estuviera en dicha ciudad, Esto lo hace en tono de broma, que su esposa interpreta como verdad en el fondo. Cuando están en el andén, Carmela observa como Zeyer apunta en una tarjeta una dirección, y en un aparte que hace con su esposo se la entrega y ambos ríen maliciosamente. Se siente humillada y reacciona violentamente aunque nada dice. Impulsada por el despecho, piensa que, en un momento determinado de su vida puede "sentir el deseo de demostrarse a sí misma que no es un ser inferior, que no es despreciable para ningún hombre y que está en aptitud de traer hijos rubios al mundo".[8]

Don Ricardo parte para Nueva York y Zeyer acompaña a Carmela a su casa...

Nace Héctor, el tercer hijo del matrimonio; es blanco, rubio, de ojos claros. La alegría de don Ricardo no tiene límites, ya tiene la prueba manifiesta de que él es un criollo, un blanco. La amargura de Carmela, se acentúa, recordando la contraria actitud asumida por su esposo, cuando nacieron sus anteriores hijos.

Don Ricardo hace objeto de apasionada dedicación a su hijo Héctor porque el color blanco de la piel de éste constituye un auto halago a su persona, en tanto menosprecia, tal vez de manera inconsciente, a sus otros dos hijos, creando en ellos un complejo de inferioridad racial que va aumentando en la misma medida que éstos crecen.

Su viejo amigo Zeyer, es ahora su socio en el negocio de unos laboratorios e intenta comprarle a don Ricardo la parte que éste posee. Como don Ricardo no accede a su deseo, Zeyer maquina una trampa que lo deshonre publicamente y le haga ceder a su pretensión.

El día anterior a la boda de su hija Beatriz con un joven hijo de familia aristocrática, don Ricardo recibe la visita de Zeyer quien le informa que, vacunas fabricadas en los laboratorios de ambos, han sido revendidas después de haber sido retiradas, por vencimiento, en distintas farmacias de la ciudad y, que ello ha ocasionado la muerte de un niño, al mismo tiempo que se finge extorsionado por un supuesto periodista que le acompaña. A la sazón, se encuentra

---

[8] *Teatro contemporáneo mexicano,* M. Aguilar, Editor, S.A., México México 1972, págs. 147-148.

en casa de don Ricardo, Manuel, ingeniero químico industrial que trabaja en los laboratorios, el cual ha ido a verlo, en carácter de representante de los trabajadores de dicho centro, para denunciarle irregularidades que viene cometiendo Zeyer y proponerle una reorganización de los mismos. Manuel cree en la honestidad y hombría de bien de don Ricardo, en la misma medida que malicía todo cuanto proviene de Zeyer, y se ofrece para investigar lo sucedido y evitar el escándalo en lo posible. En la tarde del siguiente día, aparece en toda la prensa la denuncia del caso formulada por un médico. Los invitados a la boda se excusan, y Carlos, el novio de Beatriz, trata de explicar las razones que su familia tiene para posponer la celebración de la boda. Una criada, a quien Héctor molestaba continuamente con requerimientos amorosos, demuestra a la familia que es éste quien revendía las vacunas, enseñándoles las cajas halladas por ella en el cuarto de él. Héctor confiesa ante la evidencia de su delito. La consternación es general, especialmente en don Ricardo, para quién se ha roto en mil pedazos el ídolo de su veneración. Manuel pone al descubierto y detalla la intriga de Zeyer. Don Ricardo medita y adopta una resolución que expresa gravemente:

> Pues no voy a luchar contra Zeyer. Vamos a dejarlo que se quede con el negocio. Que se lleve todo el dinero que quiera. No me importa el escándalo. Claro que me ha perjudicado...Entre otras cosas, no podré seguir al frente del Banco. Iré hoy a presentar mi renuncia. Pero todo esto me ha hecho un gran bien. Me alegro mucho que las circunstancias me hayan llevado a tomar esta resolución. Porque ahora sé que más importante que el dinero y el éxito y la posición social, es la unión, la paz y el afecto de nuestra familia. No tenemos otra. Y sólo de ella podemos dar y recibir alguna satisfacción.[9]

El rudo impacto con la realidad, devuelve a don Ricardo el sentido del principio universal e imperecedero de la solidaridad familiar, pero la rectificación es tardía, sus prejuicios raciales y su inconsecuencia familiar, ya habían fabricado la pólvora moral que impulsa el plomo con que Héctor se quita la vida.

---

[9] *Ob. cit.* pág. 178.

Los personajes de la obra *El color de nuestra piel,* podemos dividirlos en mestizos y blancos; entre los primeros tenemos a Alicia, la criada; Carmela, la esposa de Don Ricardo; sus hijos Beatriz y Jorge; Manuel, el ingeniero y su madre, la señora Torres; y, entre los segundos a Héctor, hijo de Carmela y don Ricardo; a don Ricardo; a Carlos, el novio de Beatriz; a Daniel Zeyer, el socio de don Ricardo y a Ramírez, el periodista.

Hay una especie de esquematización rigurosa de la obra en la que los personajes blancos son todos malos y los personajes mestizos son angeles; así por ejemplo, Carmela pese a que con crueldad refinada le da a entender a don Ricardo que Héctor no es su hijo:

> Anoche también le hablaste a Héctor de la posibilidad de que existía un hijo tuyo que no conoces. Eso te parece la cosa más natural del mundo. Pero...¿nunca se te ha ocurrido pensar en la posibilidad de que Héctor no fuera tu hijo?.[10]

el autor nos la presenta como una mujer bondadosa y abnegada que arrastra, en lo íntimo de su vida hogareña, el complejo del mestizaje, que su esposo enciende a cada paso, convirtiéndola en una amargada.

Don Ricardo se hace creer a sí mismo, que él tiene ascendencia blanca pura, convirtiendo su complejo de inferioridad en otro de superioridad. Hay en él, otro elemento que el autor trata diluídamente, su origen humilde y la forma cómo el personaje trata de redimirse de ese pasado origen, convirtiéndose de cajero en presidente del banco. Resulta perfectamente explicable, que don Ricardo quiere librarse cuanto antes de ese pasado.

Héctor, la figura sombría de la obra, es un actor inconsciente, en él hay más bien un impulso y no una reacción. Actúa contra los demás de manera cruel, pero irreflexivamente. No tiene conciencia del bien ni del mal y le han enseñado que puede hacer lo que le da la gana. Por ejemplo, en una conversación con su hermana Beatriz, quiere poner a su hermano Jorge en situación de inferioridad, ofendiendo a Beatriz y al resto de su familia:

---

[10] *Ibid.* pág. 145.

Ahí tienes a Jorge con la rubia más superlativa que ha venido a México. La mandó traer de los Estados Unidos y le está enseñando español para que trabaje en sus películas. Y además...le regaló un convertible "Cadillac".[11]

Manuel, el mestizo perfecto, es un hombre seguro de sí mismo, orgullosamente consciente de que el color de su piel, no es más que el exponente del cruce histórico-biológico de dos razas, que produjo un nuevo tipo de hombre que ha venido caminando rectamente, hacia la integración de una definida nacionalidad. Refiriéndose al mestizo, situado entre el indio y el blanco mexicano, él nos dice:

> Es natural que del primer encuentro de dos razas opuestas surjan unos hombres desconcertados y desconcertantes, que no pertenecen a ninguna de las dos razas y que no constituyen todavía, por sí solos, una nueva raza ni una nacionalidad. Pero admitirá usted que en cuatrocientos años la mezcla se ha asentado lo sufuciente para producir un tipo de hombre normal y equilibrado que ha venido luchando cada vez con más seguridad y con mayor energía por constituir su propia patria.[12]

En el personaje de Manuel, encontramos también al profesional mexicano que defiende la industria del país de la explotación extranjera y propugna la colaboración obrero-patronal en beneficio del engrandecimiento y consolidación de ésta, como fuente de bienes comunes nacionales.

Zeyer, es un poco ficticio, una figura convencional, aunque en realidad todas las figuras principales son un tanto convencionales, arquetipos, no concuerdan con la realidad, nos lucen razonadores, con muchas reflexiones y tesis.

Una de las primordiales preocupaciones de Gorostiza, la constituye el aún latente problema racial mexicano, conflicto que vemos en sus obras *El color de nuestra piel* y *La Malinche,* en las que el autor pugna por abolir los dos bandos raciales: mestizos e

---

[11] *Ibid.* pág. 126.

[12] *Ibid.* pág. 115.

indigenistas y güeros e hispánicos; psicológicos e intelectuales, en que ha estado escindido el país.

Para Gorostiza, el mestizaje era una nueva cultura, un nuevo modo de vida, el único medio de llevar a vías de realización la verdadera integración mexicana; concepción que, para nosotros, representa una serena y real visión del México actual, donde el mestizaje asciende al cincuenta y cinco por ciento de su población total.

El propósito de la obra que estudiamos, es presentar al mestizo que se siente despreciado por el blanco; y al blanco que se siente privilegiado. Gorostiza al hacer esto, nos luce un tanto exagerado. La obra más que un choque de razas es un choque de culturas, pero el autor ha complicado los niveles culturales con los raciales, exagerando, desde luego, un poco la cuestión:

Don Ricardo— (Se levanta. Habla en tono doctoral.) Eso sucede porque la cuestión tiene de todos modos más importancia de la que queremos darle. El color de nuestra piel es siempre indicio de mayor o menor grado de la mezcla de la sangre. (Cruza a la derecha.) Y no porque ninguna de las razas que han entrado en la mezcla sea humanamente superior a la otra; pero no hay que olvidarse de los desastrosos resultados que produce a veces el choque de sangres. Precisamente hace un rato leía yo en este libro la carta que escribió a Felipe II el virrey don Luis de Velasco, unos años después de la conquista, cuando los primeros mestizos comenzaban a crecer y multiplicarse. (Toma el libro de la mesa de la derecha y cruza hacia la izquierda por detrás del sofá, buscando la página.) Sí, aquí está. (Leyendo.) —Los mestizos aumentan rápidamente y muestran tan malas inclinaciones, tienen tal atrevimiento para la maldad, que ellos son, y no los negros, a quienes debe temerse.[13]

Otro aspecto social que plantea el autor en su obra, es la lucha de los mestizos entre sí y entre ellos y los indios. El desprecio recíproco de los mexicanos. Esa especie de querer huir de los

---

[13] *Ibid.* págs. 114-115.

demás, como si no hubiera sentimiento de solidaridad nacional, lo cual atribuye Gorostiza al problema racial:

> Manuel.—Todavía no creemos en nosotros mismos. Para convencernos de que valemos más que nuestros compatriotas, de que somos diferentes a ellos, cada uno de nosotros continúa aliándose con el extranjero en contra de sus propios paisanos, es decir, en contra de sí mismo. Eso no es más que un suicidio colectivo, porque México valdrá tanto como valgan los mexicanos y cada mexicano valdrá tanto como los otros mexicanos lo hagan valer. Por el contrario, cada mexicano que menosprecia a sus connacionales, no hace sino restar valor a su propia nacionalidad, es decir, a sí mismo. Y nosotros, aunque no lo reconozcamos, nos menospreciamos unos a otros con tanta más vehemencia cuanto más clara es nuestra piel, porque entonces empezamos a creer que somos efectivamente distintos y excepcionales.[14]

En la obra que nos ocupa, vemos apuntada una orientación política del proletariado mexicano, en el sentido de colaborar con los capitalistas al objeto de obtener el progreso de las industrias nacionales, así lo vemos por boca de Manuel cuando éste nos dice:

> Le ruego ante todo, que entienda que vengo a hablarle como dirigente del sindicato. A los trabajadores nos interesa el progreso de las industrias en que trabajamos, porque de ello depende nuestro propio progreso.[16]

El lenguaje en Gorostiza tiene gran fuerza de expresión y en esta obra está matizado de locuciones populares: mexicanismos, americanismos "Quihubole", "changuita", "güero", "gata", "ujule", "nomás", "cuatezón", "mi viejo". También encontramos extranjerismos (tanto anglicismo, como galicismos): "mammy", "shower", "high ball", "cabaret". Estos últimos no constituyen exageraciones

---

[14] *Ibid.* pág. 115.

[16] *Ibid.* pág. 105.

erróneas del autor sino, por el contrario, le dan sabor de actualidad a nuestro lenguaje.

El diálogo es de aire conversacional, de tono sencillo. Los personajes hablan con el lenguaje propio de la clase social e intelectual a que pertenecen. Por tanto, el que emplean es directo, vivo y libre de retoricismos.

En cuanto a las ideas, diremos que el teatro de Gorostiza es nacionalista; teatro que surge cuando los dramaturgos se dan cuenta que cada uno de sus pueblos es "algo particular".

El color de nuestra piel, es obra de afirmación nacional, así lo patentiza Manuel cuando dice:

> Tal parece que en México hasta las yerbas silvestres son inferiores a las del resto del mundo...Pero una de esas yerbas, por ejemlo, es la —cabeza negra—. De allí están obteniendo ahora la última maravilla de la medicina: la cortisona, que durante mucho tiempo sólo pudo administrarse a unos cuantos enfermos privilegiados, porque unicamente la extraían en dosis mínimas de una glándula del buey. Y la "cabeza de negra" la han vendido siempre las yerberas en los mercados.
>
> ...Y sin embargo...es en esa miseria en donde hay que buscar la verdad y la grandeza de México.[16]

Hay en la obra más prejuicios de clase que de razas, más de niveles sociales que de color de la piel. Esto lo vemos cuando don Ricardo, refiriéndose a Manuel dice:

> Ya sabía que ese individuo no podría traernos nada bueno...Lo presentía...A esa gente hay que tratarla como lo que es...No se les puede hacer la menor confianza, porque no la merecen y ...¡claro!, abusan en seguida...[17]

En *El color de nuestra piel,* Celestino Gorostiza se nos muestra como un escritor más maduro y como él solía decir, con los pies

---

[16] *Ibid.* pág. 129.

[17] *Ibid.* pág. 168.

en la tierra, en mi tierra. En ella se plantea la conciencia mestiza del ser mexicano, bien dispuesta a la universalidad. Se afilia el autor a la realidad mexicana y a la conciencia vital del medio mexicano. Ahonda en el espíritu del mestizaje, en la disputa íntima de dos mundos que alimentan y reclaman al mexicano. La tesis del complejo racial sustentada en la misma, no está bien manejada, pues de ese complejo racial que tiene el mexicano ha surgido un pueblo que levantándose sobre él se ha hecho progresista. Sin ese complejo quizás no lo hubiera hecho. Así pues, ese complejo, más que mal, le ha hecho bien al pueblo mexicano.

De las obras de Celestino Gorostiza, *El color de nuestra piel* es la más acabada, por su estructura, su problemática y su conclusión moral y porque somete los materiales realistas a las normas de universalidad dramática.

Contemplamos las respectivas vidas y obras de Florencio Sánchez y Celestino Gorostiza, cada uno con definidas características propias, cada uno con perfiles un tanto excluyentes; pero cada uno con un atractivo individual, que incita el uno, a la lectura de sus obras, y el otro, a ver en la escena la representación de las suyas.

Dados a señalar los puntos en que estos autores divergen o coinciden, podemos consignar que el primer contraste que observamos entre ellos es en cuanto al teatro que estos escritores cultivan.

El de Florencio Sánchez, es tan rico en ideas como en recursos escénicos, lo que se colige de la lectura de sus obras todas. En el teatro de Celestino Gorostiza no encontramos esa equidistancia entre lo que denominaríamos teatro para ser leído y teatro para ser representado; — pues su teatro es exclusivamente para ser llevado a la escena. Al señalar esta opinión, no queremos significar que, el teatro del gran dramaturgo uruguayo, fuera escrito por él con el propósito sólo de ser leído y no llevado a las tablas.

Si, en el aspecto señalado en el párrafo que precede, ambos teatros difieren, existe entre ellos, sin embargo, un punto convergente, en cuanto a que los dos autores nos presentan en sus obras, al hombre moderno, rodeado de problemas y luchando contra ellos. Sánchez, pese a las limitaciones de su época y de su medio, produce un teatro que llega al lector, pues hay en sus obras una profunda preocupación social; Gorostiza, pese a las limitaciones impuestas por el cinematógrafo al teatro, produce a su vez uno que llega al espectador, por la forma en que plantea los problemas sociales. Luego en ambos dramaturgos late un propósito de interpretación sociológica.

Estos dos hombres representan, además, dentro del género literario que ellos cultivan una semejanza, en cuanto a la culminación a que cada uno llega: Florencio como creador del teatro nacional ríoplantese; Celestino, como renovador del teatro nacional mexicano.

En relación con el medio, en que tanto Sánchez como Gorostiza, lograron sus propósitos, existe marcado contraste, pues el dramaturgo uruguayo produce una obra continuada en muy pocos años, ya que muere prematuramente, cuando empezaba a dar pruebas de su genialidad; mientras que el mexicano vive años suficientes para producir una obra espaciada —no de la calidad de la de Sánchez— pero madurada por la experiencia acumulada en sus largos años de vida.

Por último, las vidas de estas dos luminarias de la dramaturgia hispanoamericana, también fueron diametralmente opuestas. Frente a la vida agitada, desordenada y bohemia de Sánchez, tenemos la vida mesurada, ordenada y metódica de Gorostiza.

Para completar la reseña, vamos a decir unas breves palabras sobre la crítica formulada a las obras analizadas y a sus autores.

La crítica sobre Florencio Sánchez ha sido muy prolija, desde el estreno de su primera obra. De ella, sólo señalaremos tres opiniones:

Enrique Díez Canedo, en su artículo intitulado "Florencio Sánchez y su teatro", [18] al analizar *Los derechos de la salud,* entre otras cosas considera que los personajes apenas aparecen vinculados ideológicamente al medio en que aparecen pintados, así pues nos dice: el intento de Sánchez de seguir las corrientes contemporáneas del teatro europeo no tuvo gran acierto.

Juan Pablo Echagüe, desde las columnas de "El País" y bajo el pseudónimo de Jean Paul, escribió una serie de artículos, en los que siguió de cerca la actuación de Florencio Sánchez, desde su inicio en el teatro más allá de su muerte.

---

[18] *Revista Universidad de la Habana.* 1941, Vol. VI, No. 35, págs. 7-17,

Al opinar sobre *Los derechos de la salud,* nos dice Echagüe, en su reseña titulada "Estudios" [19] que la obra es un drama de ideas, inhumano, doloroso, desconsolador, "... "Exalta las fuerzas ciegas del instinto, cual si quisiera fundar sobre ellas quién sabe qué moral mezquina y desolada..." "Es el argumento en que más audaz y paladinamente ha expuesto —Sánchez— sus concepciones."

Serafín García, en su estudio "Florencio Sánchez y su sentido afirmativo del hombre"[20] nos dirá refiriéndose a *Los derechos de la salud,* que la primacía del preconcepto sobre la temperatura natural del drama, desmedra, aunque no lo malogra, el alto fin social propuesto por el autor.

En cuanto a la crítica formulada a Celestino Gorostiza y su obra *El color de nuestra piel,* consignamos las opiniones de:

Antonio Magaña-Esquivel, en la edición de "El Nacional", de México, correspondiente al día 2 de mayo de 1952, considera que *El color de nuestra piel* es una comedia magnífica, acaso la mejor construída entre las de este autor.

Willes Knapp Jones, en su obra *Breve historia del teatro Latinoamericano*, publicada en México en 1956, dice que "la obra *El color de nuestra piel,* representa un fuerte ataque contra la discriminación racial."

E. Anderson Imbert, en su *Historia de la literatura hispanoamericana,*[21] expone que Gorostiza como autor se inició con sutiles conflictos psicológicos e intelectuales, para más tarde, en *El color de la piel,* dramatizar la vida social mexicana. Añade, que "la técnica de la obra es la del viejo realismo: escenografía mimética, diálogos acartonados, afectismos exagerados, personajes-razonadores, con su acopio de reflexiones y tesis"; y concluye señalando que la tesis sustentada en la obra, de afirmación de la base mestiza de la nacionalidad mexicana, es simple, "lo que sorprende

---

[19] *Revista Iberoamericana,* Vol. IX, No. 17, México , 1945.

[20] *Revista Claridad,* Vol XX, No. 346, Buenos Aires, 1941.

[21] *Fondo de Cultura Económica,* 4ta. edición, México-Buenos Aires, 1964. págs. 291-292.

es que Gorostiza, que muestra tan buen sentido, no haya comprendido que su tesis, aunque verdadera, es demasiado obvia."

Luis Soto-Ruíz y G. Samuel Trifilo, en su "Introducción" a la obra *El color de nuestra piel* [22] consideran que la obra constituye una verdadera reflexión de la vida del mexicano, proyectada en la escena, con sus problemas y sus aspiraciones. Añaden que está muy bien construída y que el interés dramático de la pieza, depende del "suspense" que se establece desde el acto primero y que culmina en el acto final.

---

[22] Edición de "The Macmillan Company, New York, 1966. págs 1-7.